Г.М. КОПЫТИНА

ОЧЕНЬ ПРОСТО!
РУССКИЙ ЯЗЫК
ДЛЯ НАЧИНАЮЩИХ

VERY SIMPLE!
RUSSIAN
TO BEGINNERS

6-е издание

РУССКИЙ ЯЗЫК
КУРСЫ

Москава
2007

УДК 808.2 (075.8) – 054.6
ББК 81.2 РУС-923
К 65

Художник　　　*В.Г. Алексеев*

Копытина Г.М.
К 65　**Очень просто!** Русский язык для начинающих. – 6-е изд. – М.:
Рус. яз. Курсы, 2007. – 112 с.

ISBN 978-5-88337-027-3

Цель учебника – как можно скорее научить иностранных учащихся использовать нужные слова в конкретной обстановке.

Грамматические сведения русского языка изложены в очень простой форме с опорой на английский язык. Элементарные объяснения помогают учащемуся легко усвоить главные аспекты русской грамматики. Новые слова вводятся через диалог, контекст и в лексико-грамматических конструкциях. Такой подход позволяет учащемуся самостоятельно строить предложения, выражать свои мысли и участвовать в разговоре.

Книга предназначена для индивидуальных занятий с преподавателем, или на краткосрочных курсах.

К учебнику прилагается кассета с записью диалогов, текстов и фонетического материала.

ISBN 978-5-88337-027-3

СОДЕРЖАНИЕ

Contents

ПРЕПОДАВАТЕЛЮ РУССКОГО ЯЗЫКА

Мы назвали эту книгу «Очень просто!», потому что наша цель – как можно скорее научить учащегося использовать нужные слова в конкретной обстановке.

Грамматические сведения русского языка изложены здесь в очень простой форме, с опорой на английский язык, что позволяет учащемуся самостоятельно строить предложение, выражать свои мысли и участвовать в разговоре. Иными словами, учащийся получает основы грамматики через коммуникацию. Элементарные объяснения помогают учащемуся достаточно легко усвоить главные аспекты русской грамматики: существительное, местоимение, прилагательное, глагол, тем более что здесь исключено все то, что слишком трудно усваивается учащимися на начальном этапе.

Новые слова вводятся через диалог, контекст или в разделе «Очень полезные слова» в лексико-грамматических конструкциях, необходимых по теме урока. Обычно в квадратных скобках представлена фонетическая транскрипция многих труднопроизносимых слов и даже конструкций.

Грамматические упражнения способствуют переходу от механического употребления форм и конструкций к использованию их в речи. Такой способ представления лексико-грамматического материала значительно облегчает самостоятельную работу учащегося, однако книга рассчитана прежде всего на работу с преподавателем, владеющим методикой преподавания русского языка как иностранного.

Эта книга не является базовым учебником. Она предназначена для индивидуальных занятий с преподавателем-наставником или для работы на краткосрочных курсах русского языка. В связи с этим мы не считаем необходимым производить поурочную дозировку материала – это зависит только от вас... Однако учащийся способен активно усвоить 2–3 страницы книги за один час занятий. «Обзорные страницы» не являются формой контроля – они предназначены для активизации и закрепления ранее усвоенного материала и служат для стимулирования творческой активности.

К учебнику прилагается кассета с записью диалогов, текстов и фонетического материала.

Данная книга – всего лишь первый шаг, чтобы «попробовать» один из труднейших языков мира. И хотя это «прикосновение» к русской грамматике достаточно короткое, оно даст хороший результат.

Удачи вам!

DEAR STUDENTS! DEAR READERS!

This book is not pretended to be a serious, basic textbook. We called it: "Very Simple", because we wanted to teach you as soon as possible " to say necessary words in necessary situation...". But it is not typical phrase book because it gives you the system of Russian grammar in a very simple form and forces you to construct your own sentences, to express your thoughts, to participate in conversations ... etc.

Anyway, you will get here the basic grammatical concepts through communication. This textbook does not contain vocabulary list because very often we give you new words as a part of dialogue, context of conversation. You can find it in a special chapter which is called "Very useful words". Grammatical explanations and practice are presented in a simple form, and you will be comfortable with the use of basic "building blocks" of Russian grammar: Noun, Pronoun, Adjective declensions and Verbal conjugations. But we did non give you here any irregular or exceptional form. We explained only the main functions of cases but not all of them!

This is your first step " to touch" one of the most difficult languages, and exercises within each grammar section progress from mechanical to more open-ended and feauture situations that require certain structures in conversation. But, of course, you cannot do it without Tutor. It is possible to go through 2-3 pages for one hour of class. So, your course of Russian at a glance may be short and give a good result...

Good luck!

РУ́ССКИЙ АЛФАВИ́Т
RUSSIAN ALPHABET

Letter	Hand-written	English equivalent	Letter	Hand-written	English equivalent
А а	*А а*	**a** as in *father*	П п	*П п*	**p** as in *pet*
Б б	*Б б*	**b** as in *bank*	Р р	*Р р*	trilled **r**
В в	*В в*	**v** as in *vet*	С с	*С с*	**s** as in *son*
Г г	*Г г*	**g** as in *gas*	Т т	*Т т*	**t** as in *tap*
Д д	*Д д*	**d** as in *debt*	У у	*У у*	**u** as in *book*
Е е	*Е е*	**ye** as in *yes,*	Ф ф	*Ф ф*	**f** as in *fat*
		e as in *vet*	Х х	*Х х*	**kh** as in *hand*
Ё ё	*Ё ё*	**yo** as in *York,*	Ц ц	*Ц ц*	**ts** as in *cats*
		o as in *shop*	Ч ч	*Ч ч*	**ch** as in *chin*
Ж ж	*Ж ж*	**zh** as in *pleasure*	Ш ш	*Ш ш*	**sh** as in *short*
З з	*З з*	**z** as in *Zoo*	Щ щ	*Щ щ*	**shch**
И и	*И и*	**i** as in *feet*	ъ	*ъ*	hard *mark*
Й й	*Й й*	**y** as in *may,* or i	ы	*ы*	**y** as in *we*
К к	*К к*	**k** as in *book*	ь	*ь*	soft *mark*
Л л	*Л л*	**l** as in *lamp*	Э э	*Э э*	**e** as in *map*
М м	*М м*	**m** as in *map*	Ю ю	*Ю ю*	**yu** as in *Yule*
Н н	*Н н*	**n** as in *no*			or **u** as in *put*
О о	*О о*	**o** as in *stop*	Я я	*Я я*	**ya** as in *yacht*
					or **a** as in *chance*

НЕ́КОТОРЫЕ РУ́ССКИЕ ИМЕНА́
SOME RUSSIAN NAMES

Nickname	Women's Full name	English	Nickname	Men's Full name	English
Са́ша, Шу́ра	Алекса́ндра	Alexandra	Са́ша, Шу́ра	Алекса́ндр	Alexander
А́ня, Ню́ра	А́нна	Anna	Алёша, Лёша	Алексе́й	Alexis
Ве́ра	Ве́ра	Vera	Андрю́ша	Андре́й	Andrew
Да́ша	Да́рья	Darya	Анто́ша	Анто́н	Antony
Ка́тя	Екатери́на	Katherine	Бо́ря	Бори́с	Boris
Ле́на	Еле́на	Helen	Ва́ся	Васи́лий	Basil
Лю́ба	Любо́вь	Charity, Amy	Ви́тя	Ви́ктор	Victor
			Ва́ня	Ива́н	John, Ivan
Ма́ша, Ма́ня	Мари́я	Mary	Ми́ша	Михаи́л	Michael
			Ко́ля	Никола́й	Nicolas
Ната́ша	Ната́лия	Natalie			
О́ля	О́льга	Olga			

 Memorize

We pronounce

O $<$ [ó] – стоп, он (under the stress)
  [a] – рестора́н [restarán] (without stress)
Е, Я → [i] – метро́ [mitro] (without stress)

• **Now try to read and guess the meaning of Russian words**

Банк, стоп, факс, сорт, спорт, парк.

Ко́фе, кафе́, кино́, фильм, метро́, ра́дио, гара́ж, монта́ж, фо́то.

Маши́на, компью́тер, телефо́н, кассе́та, газе́та, магази́н, ресто-ра́н, проспе́кт, бульва́р.

Аме́рика, А́фрика, Росси́я, А́нглия, Ита́лия, Фра́нция.

Ста́нция, организа́ция, коопера́ция, револю́ция, консульта́ция.

Диста́нция, резиде́нция, конфере́нция.

ЭТО ...

THIS IS ...

Это парк.	This is a park.	Что это?	What is this?
Это ма́ма.	This is a mother.	Кто это?	Who is this?

Кто это? [kto éta?]
Это ма́ма.
Это па́па.
Это брат.
Это сестра́. [sistra]
Это ба́бушка. (grandmother)
Это де́душка. (grandfather)

Что это? [shto éta?]
Это банк.
Это маши́на.
Это рестора́н.
Это телефо́н.
Это о́фис.
Это магази́н.

ЛИ́ЧНЫЕ МЕСТОИМЕ́НИЯ

PERSONAL PRONOUNS

Я	[ya]	I		**Мы**	[my]	We
Ты	[ty]	You		**Вы**	[vy]	You
Он	[on]	He		**Они́**	[ani]	They
Она́	[ana]	She				
Оно́	[ano]	It				

Кто это? – Это **я**.
Кто это? – Это брат. Это **он**.
Кто это? – Это ма́ма. Это **она́**.
Что́ это? – Это кино́, фо́то, кафе́. Это **оно́**.

РОД СУЩЕСТВИ́ТЕЛЬНЫХ
GENDER OF NOUNS

Russian nouns can be classified as to the form of the ending to the three genders.

masculine		feminine		neuter	
кто? что?		*кто? что?*		*что?*	
он	*, -ь, -й банк брат секрета́рь музе́й **but** па́па	она́	-а, -я, -ь маши́на сестра́ Росси́я дочь ма́ма	оно́	-о, -е фо́то кафе́

* Means that at the end of word may be any consonant – *банк, магази́н, студе́нт* ...

 Текст

Text

Я Джон Смит. Я дире́ктор фи́рмы. А э́то Ме́ри, сестра́. Она́ секрета́рь фи́рмы. А кто вы?

- **Try to guess the meaning of words.**

Э́то ма́ма и па́па. Э́то сын. Э́то дочь. Они́ брат и сестра́. Сын – студе́нт университе́та, а дочь – студе́нтка ко́лледжа. Па́па – банки́р, а ма́ма – журнали́ст.

ИНТОНАЦИО́ННЫЕ КОНСТРУ́КЦИИ
ИК-1, ИК-2, ИК-3, ИК-4
CONSTRUCTIONS OF RUSSIAN INTONATION

🎧 **ИК-1** – information, statements or answering the question – the tune is slowly falling down:

Это ма́ма.   Я студе́нт.   Он дире́ктор

🎧 **ИК-2** – question beginning with question-word (e.g. Who? What?) – high falling tune:

Кто э́то? – Э́то ма́ма.   Что э́то? – Э́то парк.

🎧 **ИК-3** – question without question word – tune is quickly rising up on the logical center of the question. This kind of question needs the answer *yes* or *no*:

Он студе́нт? –Да. (Да, он студе́нт.)	Is he a student? – Yes. (Yes, he is...)
Э́то ма́ма? – Нет. (Нет, э́то сестра́.)	Is this mother? – No. (No, it's a sister.)
Вы инжене́р? – Да, я инжене́р.	Are You an engineer? – Yes. I am an engineer.

VERY USEFUL WORDS

да ≠ нет	yes ≠ no
Спаси́бо! [spasíba]	Thank You!
Пожа́луйста! [pazhálusta]	Please... You are welcome!
Здра́вствуйте! [zdrástvuyte]	How do you do!
До свида́ния! [dasvidániya]	Goodbye!
О́чень прия́тно! [ochin' priyátna]	Nice to meet you!
хорошо́ ≠ пло́хо [kharashó ≠ plókha]	Good, well ≠ bad

🎧 **Немно́го поговори́м!**

Let's talk a little!

– Здра́вствуйте! Я Джон Смит. Я инжене́р.
– О́чень прия́тно! Я Мэ́ри Джо́нсон. Я ме́неджер фи́рмы IBM.
– О́чень прия́тно! А кто э́то?
– Э́то мой брат, Билл. Он студе́нт.
– Билл, э́то инжене́р Джон Смит.
– Здра́вствуйте! О́чень прия́тно!

• **Using this dialogue as a model introduce yourself.**

ПРИВЕ́ТСТВИЯ
GREETINGS ≠

Здра́вствуйте!	How do you
[zdrástvuyte]	do! Hello!
До́брое у́тро!	Good Morning!
[dóbraye útra]	
До́брый день!	Good Day!
[dóbryi den']	
До́брый ве́чер!	Good Evening!
[dóbryi vécher]	
Приве́т!	Hi!
[privét]	

ПРОЩА́НИЯ
GOODBYE-WORDS

До свида́ния!	Good bye!
[da⌢svidánya]	
До за́втра!	See you
[da⌢záftra]	tomorrow!
Всего́ хоро́шего!	All the best!
[fsiv'o har'ósheva]	
Пока́!	So long!
[paká]	

Как дела́? Как ва́ши дела́? [kak delá? kak váshe delá?]
How are you? How is your doing?

хорошо́ [kharashó]	good	**норма́льно** [narmál'na]	О.К!	**пло́хо** [plókha]	bad
о́чень хорошо́	very good	**ничего́** [nichevó]	О.К!	**о́чень пло́хо**	very bad
Прекра́сно! [priekrásna]	fine!	**так⌢себе́** [táksebe]	so-so	**ужа́сно!** [uzhásna]	awful
		непло́хо [neplókha]	not bad		

Диалоги
Dialogues

1. – Здра́вствуйте!
– Здра́вствуйте!
– Как дела́?
– Спаси́бо, хорошо́.
 А как ва́ши дела́?
– То́же хорошо́,
 спаси́бо.

2. – До́брое у́тро!
– Здра́вствуйте!
– Как ва́ши дела́?
– Прекра́сно! А ва́-
ши?
– Пло́хо.

3. – Приве́т!
– Приве́т!
– Ну, как дела́?
– Ничего́. А
ва́ши как?
– Прекра́сно!

● **Complete next dialogs:**

1. – До́брый день!
 – ...
– Как дела́?
– Спаси́бо, прекра́сно!

2. – Здра́вствуйте!
– Добрый день!
 – ...
– Ничего́. А ва́ши?
– Норма́льно, спаси́бо.

● **You must compose your own dialog**

ИК-4 – short question beginning with *А* ... Slow and smoothy rising tune: [− − ⟋]

– Я студе́нт. А вы?

– Как ва́ши дела́? ⟋

– Прекра́сно! А ва́ши?

– I am a student. And you?

– How are you?

– Fine! And you?

This kind of question we use only in dialogues.

13

VERY USEFUL WORDS

неплóхо	not bad
я не знáю	I don't know
я не понимáю [ya ne panimáyu]	I don't understand
извинúте [izveníte]	Excuse me,... Pardon, me
большóе спасúбо [bal'shóye spasíba]	Thank you so much!

 ### Диалóги

1. – Привéт, Сáша! Как делá?

   – Неплóхо! А вáши?
   – Спасúбо. Нормáльно.
   – Покá!
   – До свидáния.

4. – Éто фáбрика?
   – Извинúте, я не понимáю.
   – О, извинúте! ...Is it a factory?
   – Oh, Yes! It is a factory... Да-да, я понимáю ... Éто фáбрика.
   – Большóе спасúбо.

2. – Áнна, кто э́то?
   – Я не знáю.

3. – Что э́то?
   – Я не знáю, что э́то ...

КАК ВАС ЗОВУ́Т?
WHAT IS YOUR NAME?

– Как вас зовýт? [kak vazzavút?]	What is your name?
– Меня́ зовýт ... [meniá zavút]	My name is ...

– Как вас зовýт?
– Меня́ зовýт Билл.

– Как вас зовýт?
– Меня́ зовýт Áнна. А вас?
– А меня́ зовýт Билл.

– Как вас зовýт?
– Меня́ зовýт Áнна. А как вас зовýт?
– А меня́ зовýт Билл. Óчень прия́тно.

ОТКУ́ДА?
WHERE FROM?

– Отку́да вы? [atkúda vy?]	Where are you from?
– Я из ... [ya iz ...]	I am from ...

– Отку́да вы?
– Я из Ло́ндона. А вы?
– А я из Москвы́.

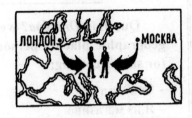

Отку́да?

из | Ло́ндона
Си́днея (*masc., neutr.* -а, -я)   из | Москвы́
Росси́и (*fem.* -ы, -и)

Memorize!

If we put Preposition *из* (from), we always must change the endings of nouns. They are different and depend on gender of the noun:

masc. and neutr.: -*а* or -*я* (instead of the last letter -*й*, -*ь*, -*е*),
fem.: -*ы* or -*и* (instead of the last letter -*а*, -*я*, -*ь*).

Э́то Ло́ндон. – Я из Ло́ндона. Э́то Дже́ксонвиль. – Я из Дже́ксонвиля.
Э́то Си́дней. – Я из Си́днея.
Э́то Москва́. – Я из Москвы́. Э́то Нева́да. – Я из Нева́ды.
Э́то Ита́лия. – Я из Ита́лии.

Memorize!

Rule 1: if a foreign word has no ending similar to the Russian grammar form, we never change such kinds of words:

Я из Кенту́кки. Я из Нью-Дже́рси. Я из Пуэ́рто-Ри́ко.

Rule 2: after Russian letters *к, г, х, ч, ж, ш, щ* and instead of *ь* we newer write ...*ы* – we write ONLY and ALWAYS ...*-и*:

Я из Аме́рики. Я с Аля́ски. Я из Пра́ги, *но* Я из Москвы́.

к, г, х, ч, ж, ш, щ, ...ь + и instead of ы

Question *Отку́да?* we use if we want to know from what geographic place a person is, and also from what place he (or she) is coming:

– Отку́да ты?   – From where are you (coming)?
– Я из магази́на.   – I am (coming) from the store.

 Диало́ги

1. – До́брый день! Я Ви́ктор. Я инжене́р из Москвы́. А как вас зову́т? Отку́да вы?
 – Good day! I am Viktor. I am an engineer from Moscow. And what is your name?

– Меня́ зову́т А́нна. Я из Чика́го.
 – My name is Anna. I am from Chicago.

– Ооо! Вы из Аме́рики?
 – Oh! Are you from America?

– Да, я из Аме́рики.
 – Yes, I am from America.

– Вы то́же инжене́р?
 – Are you also an engineer?

– Нет, я ме́неджер фи́рмы IBM.
 – No, I am a manager of the firm IBM.

– О́чень прия́тно!
 – Nice to meet you!

– О́чень прия́тно!

2. – Приве́т, Са́ша! Отку́да ты?
 – Hi, Sasha! Where are you from?

– Здра́вствуй, Ви́ктор. Я из клу́ба. А ты?
 – I'm coming from the club. And you?

– Я из кино́.
 – I am coming from cinema.

– Как фильм?
 – How was movie?

– Ничего!	– O.K.!
– Ну, до свидания!	– Well, goodbye!
– Пока!	– So long!

3. – Извините, я не знаю, как вас зовут ...

– Меня зовут Иван. А как вас зовут?

– Меня зовут Борис. Очень приятно!

– Очень приятно! Борис, вы из Москвы?

– Да, я из Москвы. А вы откуда, Иван?

– Я из Петербурга.

Translate this dialogue and answer the questions:

– Откуда Иван?

– Откуда Борис?

- **Compose your own dialogue N4, using questions:** *Как вас зовут? Откуда вы? Кто вы?*

 Текст

Здравствуйте! Меня зовут Иван Петров. Я инженер из Москвы. А это мой друг (my friend) Виктор. Он доктор.

– Добрый день, Виктор. Как дела?

– Привет, Иван. Мои дела хорошо. А как ты?

– Спасибо, прекрасно! Я иду (I am going) из кино. Фильм очень хороший. А ты откуда?

– Я из магазина.

– До свидания!

– Пока, Иван!

- **Using this text as a model, compose your own, changing the names, profession and places, from where they are coming. Perhaps, you'l change and greetings?**

ИМЕНИ́ТЕЛЬНЫЙ И ВИНИ́ТЕЛЬНЫЙ ПАДЕЖИ́ ЛИ́ЧНЫХ МЕСТОИМЕ́НИЙ

NOMINATIVE AND ACCUSATIVE CASE FOR PERSONAL PRONOUNS

Question *What is your name?* in Russian sounds like: *How do they call you (or him, her..?)* – so, these pronouns are the objects in the question. And in Russian asking your name sounds as:

– Как **вас (его́, её, нас, их)** зо-
ву́т?

– **Меня́ (его́, её, нас, их)** зову́т ...

– How do they call you (him, her, us, them)?...

– They call me (him, her, us, them) ...

Nominative case	я	ты	он	она́	мы	вы	они́
Accusative case	меня́	тебя́	его́	её	нас	вас	их

Memorize!

Letter *г* in position between letters *е* and *о* or *о* and *о* we pronounse as *в*:

-его- [yevo],
-ого- [ovo].

Я – **Меня́** зову́т ...
Ты – Как **тебя́** зову́т? –
Меня́ зову́т ...
Он – Как **его́** зову́т? –
Его́ [yevó] зову́т ...
Она́ – Как **её** зову́т? –
Её зову́т ...

Мы – **Нас** зову́т ...
Вы – Как **вас** зову́т? – **Меня́** зо-
ву́т ... *или* – **Нас** зову́т...
Они́ – Как **их** зову́т? – **Их** зову́т ...

Это мой брат. Его́ зову́т Са́ша. Это моя́ сестра́. Её зову́т На-
та́ша. Это мой ма́ма и па́па. Их зову́т А́нна и Ива́н.

Ско́лько? [skol'ka]	How much = How many?
Ско́лько сто́ит? Ско́лько э́то сто́ит?	How much is it? = How much does it cost?
До́рого [dóraga] **(недо́рого)** [nedóraga]	Expensive ... not expensive ...
Э́то сли́шком [slíshkam] **до́рого!**	It is too expensive!
Да́йте (мне) [dáyte mne] ... **Да́йте, пожа́луйста ...**	Give me ... Give me please...
Я возьму́ э́то [ya vaz'mu éta] ...	I will take it ...
Скажи́те, пожа́луйста [skazhíte pazhálusta] ...	Tell me, please ...
Скажи́те, пожа́луйста, ско́лько э́то сто́ит?	Tell me, please, how much is it?

ДАВА́ЙТЕ ПОСЧИТА́ЕМ!
(Коли́чественные числи́тельные)
LET US COUNT! (Cardinal numbers)

1 – 10	11 – 19	20, 30	40	50 – 80	90	100	200 300 400	500–900
1 оди́н одна́ одно́			со́рок		девяно́сто	сто	две́сти три́ста четы́реста	5 – 9 + сот
2 два две	надцать -дцать							
3 три	-дцать							
4 четы́ре								
5 пять				5, 6, 7, 8 + десят				
6 шесть								
7 семь								
8 во́семь								
9 де́вять								
10 де́сять								
0 ноль								

19

```
1.000 – (одна́) ты́сяча [týsicha or týsh'a]
1.000.000 – (оди́н) миллио́н
1.000.000.000 – (оди́н) миллиа́рд
```

ПРА́КТИКА

1 – оди́н, 11 – оди́ннадцать, 111 – сто оди́ннадцать,
1111 – ты́сяча сто оди́ннадцать ...
2 – два, 12 – двена́дцать, 22 – два́дцать два,
112 – сто двена́дцать ...
3 – три, 13 – трина́дцать, 33 – три́дцать три,
333 – три́ста три́дцать три ...
9 – де́вять, 19 – девятна́дцать, 99 – девяно́сто де́вять,
219 – две́сти девятна́дцать ...
20 – два́дцать, 320 – три́ста два́дцать,
529 – пятьсо́т два́дцать де́вять ...
15 – ..., 26 – ..., 41 – ..., 54 – ..., 72 – ..., 77 – ..., 89 – ..., 100 – ...,
400 – ...

You must remember!

1 (оди́н)	до́ллар	рубль	1 (одна́)	ты́сяча
2 (два), 3, 4	до́ллара	рубля́	2 (две), 3, 4	ты́сячи
5 – 20	до́лларов	рубле́й	5 – 20	ты́сяч

1 (оди́н) до́ллар, 3 до́ллара, 5 до́лларов, 15 до́лларов,
20 до́лларов, 40 до́лларов,
но 21 до́ллар, 32 до́ллара, 58 до́лларов, 100 до́лларов,
1000 до́лларов ...

1 (оди́н) рубль, 3 рубля́, 5 рубле́й, 15 рубле́й, 20 рубле́й,
40 рубле́й,
но 21 рубль, 32 рубля́, 58 рубле́й, 100 рубле́й, 1000 рубле́й ...

1 (одна́) ты́сяча, 3 ты́сячи, 5 ты́сяч, 15 ты́сяч, 20 ты́сяч, 40 ты́сяч,
но 21 000 – два́дцать одна́ ты́сяча (до́лларов, рубле́й),
32 000 – три́дцать две ты́сячи (до́лларов, рубле́й),
100 000 – сто ты́сяч (до́лларов, рубле́й).

МАГАЗИН
STORE, SHOP

🎧 **Диало́ги**

1. – Ско́лько сто́ит ...? — How much is it?
   – 5 рублей. — 5 roubles.

2. – Скажи́те, пожа́луйста, — Tell me please, how much is
   ско́лько э́то сто́ит? it?
   – 32 рубля́.

3. – Скажи́те, пожа́луйста,
   ско́лько э́то сто́ит?
   – 25 (два́дцать пять) рубле́й.
   – Хорошо́, я возьму́ э́то. — Good. I'll take it...
   – Пожа́луйста. — You are welcome...
   – Спаси́бо.

4. – Да́йте, пожа́луйста, э́то ... — Give me please this one ...
   – Пожа́луйста.

5. – Скажи́те, пожа́луйста,
   ско́лько э́то сто́ит?
   – 120 (сто два́дцать) рубле́й.
   – О нет! Э́то сли́шком до́рого. — Oh! No. It is too expensive!
   А э́то ско́лько?
   – 70 (се́мьдесят) рубле́й.
   – Да. Э́то я возьму́. — Yes, that maybe (I'll take it).

6. – Да́йте, пожа́луйста, э́то, э́то — Give me please this and this
   и э́то. one.
   – Пожа́луйста.
   – Ско́лько с меня́? [skól'ka
   s͡miní a]
   – С вас 82 (во́семьдесят два) — How much shall I pay?
   рубля́. — You will pay ...

VERY USEFUL QUANTITIES

a half	полови́на (пол)	[palavína (pol)]
half a kilo	полкило́	[polkiló]
a quarter	че́тверть	[chétvirt']
ten of a kind	деся́ток	[diesíatak]
a little	ма́ло	[mála]
too little	сли́шком ма́ло	[slíshkam mála]
a little less	поме́ньше	[pamen'she]
a lot	мно́го	[mnóga]
too much	сли́шком мно́го	[slíshkam mnóga]
a little more	побо́льше	[paból'she]
a pair	па́ра	[para]
one time	оди́н раз	[adín ras]
2 – 4 times	2 – 4 ра́за	[dva ... ráza]
5 – 20, many times	5 – 20, мно́го раз	[5 ... ras, mnóga ras]
one more time	ещё раз	[yiesh'ó ras]

МАГАЗИ́НЫ

SUPERMARKET OR GROCERY

Универса́м = гастроно́м = проду́кты
[uneversám]   [gastranóm]   [pradúkty]

Хлеб = бу́лочная [hliep] [búlachnaya]	Bread or bakery
Бу́лочная-конди́терская [búlachnaya-kandíterskaya]	pastry shop
Мя́со [míasa]	butcher shop
Ры́ба [rýba]	fish shop
О́вощи-фру́кты [óvash'i-frúkty]	vegetable and fruit store

22

МАГАЗИН «ХЛЕБ»

BAKERY

хлеб	bread
бе́лый	white
чёрный	brown
бато́н, бу́лка, бу́лочка	form and size of the white bread
буха́нка	form and size of the brown bread
пече́нье, кре́кер	cookie
пиро́г	pie
пиро́жное	pastry
торт	cake

 Диало́ги

1. – Да́йте, пожа́луйста, э́тот бе́-
   лый и э́тот чёрный хлеб.
   Ско́лько с меня́?
   – С вас 5 рубле́й.
   – Спаси́бо.

   – Give me please this white
   and this one brown bread ...
   How much shall I pay?
   – You will pay ...
   – Thank you.

2. – Ско́лько сто́ит пече́нье?
   – 3 рубля́.
   – Вот 5 рубле́й.
   – Вот, пожа́луйста, пече́нье и
   сда́ча – 2 рубля́.

   – How much is this cookie?

   – This is your cookie and
   change ...

3. – Да́йте, пожа́луйста, бато́н и
   2 (две) бу́лочки.
   – Пожа́луйста, с вас 5 рубле́й.
   – Вот, пожа́луйста, 10 рубле́й.
   – Вот сда́ча 5 рубле́й.
   – Спаси́бо.

МАГАЗИ́Н «ПОДА́РКИ, СУВЕНИ́РЫ»

GIFT, SOUVENIR STORE

Диало́ги

1. –Да́йте, пожа́луйста, э́то и э́то.
 – Пожа́луйста.
 – Ско́лько сто́ит?
 – Э́то сто́ит 8 рубле́й, а э́то – 9.
 – Нет, я возьму́ то́лько э́то.   – No, I'll take only this one ...
 – Пожа́луйста, с вас 8 рубле́й.

2. – Да́йте, пожа́луйста, альбо́м,   – Give me please this album,
 самова́р и матрёшку. Ско́ль-   samovar and "matrioshka".
 ко с меня́?   How much shall I pay?
 – Альбо́м – 12 рубле́й, самова́р
 – 54 рубля́ и матрёшка – 8
 рубле́й. С вас 74 рубля́.
 – Вот, пожа́луйста, 100 рубле́й.
 – Возьми́те сувени́ры. Сда́ча –
 26 рубле́й.

РЕСТОРА́Н, КАФЕ́
Меню́

заку́ски appetizers	сала́ты salads	пе́рвые блю́да the first cours	вторы́е блю́да the second cours	десе́рты desserts	напи́тки drinks
икра́: caviar	из кра́бов crab --	борщ beet soup	ры́ба fish	моро́женое ice cream	пи́во beer
зерни́стая black --	из помидо́ров tomato --	щи cabbage soup	карп carp	сли́вки whipped	вино́: wine
кето́вая red --	из огурцо́в cucumber --	бульо́н boullion	сельдь herring	кре́м cream	сухо́е dry --
грибы́ mush-	«Столи́чный» potato --	суп-лапша́ noodle soup	осетри́на sturgeon	фру́кты fruits	сла́дкое sweet
rooms	винегре́т beet --	уха́ fish soup	балы́к filet of --	торт cake	кра́сное red
бутер- бро́д sandwich				пиро́жное pastry	бе́лое white

Мясо

Meat

Говя́дина (beef), теля́тина (veal), свини́на (pork), бара́нина (lamb), беф-стро́ганов, ро́стбиф, шни́цель, бифште́кс, рагу́, гуля́ш, пельме́ни.

Котле́та (cutlet).

Свина́я отбивна́я (pork cutlet), котле́та по-ки́евски (chicken-Kiev), котле́ты «Пожа́рские» (beef-cutlet).

Жа́реный (fried), печёный (baked), варёный (boiled), тушёный (stewed).

Пти́ца

Poultry

Ку́рица/цыплёнок (chicken), у́тка (duck), гусь (goose), фаза́н (pheasant), инде́йка (turkey).

VERY USEFUL WORDS

Меню́	menu
Счёт, пожа́луйста! [sh'ot pazhálusta]	the check, please
Э́то вам.	This is for you.
Сда́чи не на́до. [zdáche ne náda]	Keep the change.
официа́нт [afetsyánt]	waiter
по́рция [pórtsyía]	portion
Что вы хоти́те заказа́ть? [shto vy hat'íte zakazát']	What would you like to order?

 ## Диало́ги

В рестора́не

1. – До́брый ве́чер! Меню́, пожа́луйста. Спаси́бо! Так (so) ...
   Пожа́луйста, сала́т «Столи́чный» – 2, борщ – 2, котле́та по-ки́евски – 2.
   – Напи́тки?
   – Да, 2 ко́фе и во́ду (water), пожа́луйста.

– Так, хорошо́: сала́т – 2, борщ – 2, котле́та по-ки́евски – 2, ко́фе – 2, вода́, десе́рт – нет. Мину́точку! (one moment!)

***

– Официа́нт, счёт, пожа́луйста!

– Вот, пожа́луйста. — Here it is...

– Пожа́луйста. Сда́чи не на́до. Всё бы́ло вку́сно! Спаси́бо, до свида́ния! — Everything was delicious.

– До свида́ния! Всего́ хоро́шего! Приходи́те ещё! — All the best! Come again!

2. – До́брый ве́чер! Что вы хоти́те заказа́ть?
   – До́брый ве́чер! Я хочу́ (I want) шни́цель и пи́во. А ты?
   – Мне, пожа́луйста, сала́т из кра́бов и немно́го вина́.
   – Вино́ бе́лое?
   – Да, бе́лое, сухо́е.
   – Так, шни́цель, пи́во, сала́т из кра́бов и бе́лое вино́. Мину́точку!

***

3. – О, всё о́чень вку́сно! Но я хочу́ десе́рт. Официа́нт!
   – Да, слу́шаю вас! — I am listenning to you!
   – Пожа́луйста, оди́н ко́фе, оди́н чай и два пиро́жных. И счёт, пожа́луйста.

***

– Вот ко́фе, чай (tea), пиро́жные. Вот счёт. С вас 85 рубле́й.
– Спаси́бо. Вот 100 рубле́й.
– Вот сда́ча. Всего́ хоро́шего! Приходи́те ещё!
– До свида́ния!

Вку́сно. О́чень вку́сно! [fkúsna, ochen' fkúsna!] — Tasty, delicious.

Я хочу́... [ya hachú...] — I want ...

Я хочу́ немно́го воды́. — I want some water.

Что вы хоти́те? Что ты хо́чешь? [shto vy hatíte? shto ty hóchesh?] — What do you want? (*plural or formal sing.*)

Я хочу́ заказа́ть... [ya hachu zakazát'...] — I want to order ...

Я хочу́ заказа́ть сала́т и мя́со. — I want to order salad and meat.

Я хочу́ есть. [ya hachú yest'] — I want to eat.

Я хочу́ пить. [ya hachú pit'] — I want to drink.

немно́го [nemnóga] — A little ... not so much ...

Всего́ хоро́шего! [fsivó harósheva] — All the best = Good-bye

 Текст

Я о́чень хочу́ есть. Вот кафе́. А вот меню́. Так ... Заку́ски – сала́т из помидо́ров и огурцо́в. Э́то хорошо́ – я возьму́. Пе́рвые блю́да – борщ, суп, уха́ ... Нет, я не хочу́ суп. Так, а что на второ́е? О, мно́го: мя́со, котле́ты, ку́рица, ры́ба ... Я возьму́ котле́ты «Пожа́рские» – э́то недо́рого и вку́сно. Десе́рт я не возьму́, но я хочу́ пить.

– Официа́нт, пожа́луйста! Я хочу́ заказа́ть сала́т из помидо́ров и огурцо́в, котле́ты «Пожа́рские», ко́фе и лимона́д. Ско́лько с меня́?

...

– Как хорошо́! Вку́сно и недо́рого! Спаси́бо большо́е. До свида́ния!

– До свида́ния! Всего́ хоро́шего! Приходи́те ещё!

ВРÉМЯ

TIME

1 (оди́н) час [chas]	1 hour	1 (одна́) мину́та	[minúta]	1 minute
2–4 часа́	[chesá]	2–4 мину́ты	[minúty]	
5–20 часо́в	[chesóf]	5–20 мину́т	[minút]	

**– Ско́лько вре́мени? = Кото́- What time is it?
рый час?**

– 2.20 (2 часа́ 20 мину́т).

1. – Ско́лько вре́мени?
  [skol'ka vrémeny?]
  – 15.30 (пятна́дцать часо́в
  три́дцать мину́т).

2. – Кото́рый час?
  [katóryĭ chas?]
  – 10.30 (де́сять часо́в три́-
  дцать мину́т).

3. – Скажи́те, пожа́луйста, ско́лько вре́мени?
  – 2.20 (два часа́ два́дцать мину́т).

4. – Скажи́те, пожа́луйста, ско́лько вре́мени?
  – 1.00 (час).

5. – Ско́лько вре́мени? = Кото́рый час?
  3.00 – три часа́, 5.00 – пять часо́в, 1.00 – час, 2.00 – два ча-
  са́, 10 часо́в.

6. – Ско́лько вре́мени? = Кото́рый час?
  1.05 – оди́н час пять мину́т, 2.04 – два часа́ четы́ре мину́ты,
  15.10 – пятна́дцать часо́в де́сять мину́т, 12.21 – двена́дцать
  часо́в два́дцать одна́ мину́та.

КОГДА́?
WHEN?

В 1.00 – **в** час, **в** 2.00 – **в** два часа́, **в** 15.10 – **в** пятна́дцать часо́в де́сять мину́т, **в** 20.00 – **в** два́дцать часо́в ...

In Russian we can use 12-hours circle, adding words: morning, day, evening, night.

10.00 – де́сять часо́в **утра́** и де́сять часо́в **ве́чера**	Ten o'clock in the morning and ten o'clock in the evening
2.00 – два часа́ **но́чи** и два часа́ **дня**	Two o'clock a.m. (night) and 2.00 p.m. (day)

So, you can say in Russian:

1.00 a.m. час: 13.00 трина́дцать часо́в, 1.00 a.m. час но́чи, 1.00 p.m. час дня.

6.00 a.m. шесть часо́в: 18.00 восемна́дцать часо́в, 6.00 a.m. шесть часо́в утра́, 6.00 p.m. шесть часо́в ве́чера.

Когда́? –	в 10 часо́в	в 22 часа	в 10 часо́в утра́	в 10 часо́в ве́чера
When? –	at 10.00	at 22.00	at 10 a.m.	at 10.p.m.

– Когда́ [kagdá] фильм?
– В во́семь часо́в ве́чера.

– When will the movie be?
– At 8.00 p.m.

– Когда́ уро́к?
– В 18.30 (в восемна́дцать три́дцать и́ли в шесть три́дцать ве́чера).

– When will the lesson be?
– At 18.30, or at six thirty in the evening.

– Скажи́те, пожа́луйста, фильм в 10 часо́в ве́чера и́ли утра́?
– В 10 ве́чера (в 22 часа́)
– Ско́лько вре́мени?
– 2 часа́.
– А конце́рт когда́ – в 6?
– Нет, в 7 часо́в.

– Tell me please, is the movie at 10 p.m. or 10 a.m.
– At 10 p.m. – 22.00.

– Са́ша, когда́ уро́к?
– В 9.30.
– Когда́? В 10.30?
– Нет, в 9 часо́в 30 мину́т.

VERY USEFUL WORDS

в час	at one o'clock	вчера́ [fchirá]	yesterday
в 2 – 4 часа́	at 2–4 o'clock		
в 5 часо́в	at 5–20 o'clock	сего́дня [sivódnia]	today
ра́ньше [rán'she]	before	за́втра [záftra]	tomorrow
сейча́с [seychás]	now	у́тром [útrom]	in the morning
пото́м [patóm]	later	днём [dniom]	in the afternoon
по́сле [pósle]	after	ве́чером [vécheram]	in the evening
		но́чью [nóchyu]	at night

Дни неде́ли
Days of the week

Понеде́льник [pan'edél'n'ik]	Monday		В понеде́льник
Вто́рник [ftórn'ik]	Tuesday		Во вто́рник
Среда́ [sridá]	Wednesday		В сре́ду
Четве́рг [chetvérk]	Thursday	*Когда́?*	В четве́рг
Пя́тница [piátn'itsa]	Friday		В пя́тницу
Суббо́та [subóta]	Saturday		В суббо́ту
Воскре́сенье [vaskr'es'énye]	Sunday		В воскресе́нье

– Когда́ конце́рт?	– When will the concert be?
– Сего́дня ве́чером в 7 часо́в.	– Today at 7.00 p.m.
– Когда́ уро́к?	– When will the lesson be?
– В сре́ду в 18 часо́в 30 мину́т.	– On Wednesday at 18.30.

 Диало́ги

1. – Са́ша, когда́ конце́рт?
   – Я не зна́ю. Ду́маю (I think), за́втра.

2. – О́пера сего́дня?
   – Нет, в пя́тницу.

3. – Когда́ фильм?
   – В сре́ду.

4. – Экза́мен за́втра?
   – Да.
   – Когда́? В 10 часо́в?
   – Нет, ду́маю, в 9.

5. – Скажи́те, пожа́луйста, когда́ бале́т?
   – Я не зна́ю то́чно (exactly). Я ду́маю, в воскресе́нье ве́чером.
   – Ве́чером? Э́то хорошо́.

6. – Извини́те, я не зна́ю, когда́ уро́к – во вто́рник и́ли в четве́рг?
   – Уро́к в четве́рг в 7 часо́в ве́чера.

ГЛАГО́ЛЫ
RUSSIAN VERBS

Russian has two conjugations of verbs. In any dictionary you will find the infinitive, the basic form – usually it has the ending -ть.

Russian verbs are conjugated, which means that each person has a different ending. The endings for Present Tense form of a verb are:

Гру́ппа I		Гру́ппа II	
Я -ю (-у)	Мы -ем	Я -ю (-у)	Мы -им
Ты -ешь	Вы -ете	Ты -ишь	Вы -ите
Он, она́ -ет	Они́ -ют (-ут)	Он, она́ -ит	Они́ -ят (-ат)

> Memorizing the endings for both groups enables you to conjugate any regular Russian verb.

What are our steps?

1. Find in the dictionary the infinitive form and recognize group of the verb: Usually (but not always!) group I has the infinitive ending *-ать*, *-ять*, and group II has the endings *-ить*, *-еть*.

Гру́ппа I – *знать* (to know), *ду́мать* (to think), *рабо́тать* (to work), *де́лать* (to do), *гуля́ть* (to go for a walk).

Гру́ппа II – *говори́ть* (to speak, to tell), *смотре́ть* (to look, to watch), *люби́ть* (to love).

2. Get the stem of any verb – it will be without endings *-ть* (гру́ппа I) and *-ить*, *-еть* (гру́ппа II):

зна..., рабо́та..., говор..., смотр... etc.

3. Add the person's endings:

(гру́ппа I)	(гру́ппа II)
Я зна́ю, ду́маю, рабо́таю ...	Я говорю́, смотрю́ ...
Ты зна́ешь, ду́маешь, рабо́таешь ...	Ты говори́шь, смо́тришь ...

рабо́тать (to work)

Я рабо́таю	Мы рабо́таем
Ты рабо́таешь	Вы рабо́таете
Он рабо́тает	Они́ рабо́тают
Она́ рабо́тает	

говори́ть (to speak)

Я говорю́	Мы говори́м
Ты говори́шь	Вы говори́те
Он говори́т	Они́ говоря́т
Она́ говори́т	

4. It is very important in Russian to pay attention to question. So, for any kind of the infinitive we have a question *"What to do?"* – *Что де́лать?* And like in English, we put different questions to different persons: *What are you doing* – *Что ты де́лаешь? (Что вы де́лаете?)*. *What does he (or she) do?* – *Что он (или она́) де́лает?* And the question ending helps us to give the right form of answer:

– Что де́лает студе́нт?	– What does the student do?
– Он чита́ет.	– He reads.

Что ты де́лаешь? – Я рабо́таю, говорю́, смотрю́ ...
Что **вы** де́лаете? – Мы рабо́таем, говори́м, смо́трим ...
Что **Вы** де́лаете? – Я рабо́таю, говорю́, смотрю́ ... (formal You – sing.)
Что он де́лает? – Он рабо́тает, говори́т, смо́трит ...
Что де́лает студе́нт? – Студе́нт (он) рабо́тает, говори́т, смо́трит ...
Что де́лает студе́нтка? – Студе́нтка (она́) рабо́тает, говори́т, смо́трит ...

 Диало́ги

1. Телефо́н

– Алло́! Здра́вствуй, Са́ша!
– Приве́т, Ива́н! Как дела́?
– Спаси́бо, хорошо́. Ты из института́?
– Да, я сейча́с рабо́таю. А ты что де́лаешь?
– А я смотрю́ телеви́зор. Америка́нский футбо́л.
– О! Это интере́сно! Извини́, что помеша́л. Пока́!
– До за́втра, Ива́н!

– Hello, Sasha!
– Hi, Ivan! How are you?
– Thanks, fine! Are you calling from the institute?
– Yes, I am working now. And what are you doing?
– I'm watching TV. American football.
– Oh! That's interesting! Excuse me for interruption. See you!
– See you tomorrow, Ivan!

2. – Ты сего́дня рабо́таешь?
– У́тром. А днём и ве́чером я не рабо́таю.

3. – Что де́лает Са́ша?
– Он смо́трит телеви́зор и чита́ет журна́л.
– А ты что де́лаешь?
– Я чита́ю газе́ту.

4. – Что ты лю́бишь? (Что вы лю́бите?)
– Я люблю́ чита́ть, смотре́ть телеви́зор.

– What do you like (love)?
– I like (love) to read, to watch TV.

СПРЯЖЕ́НИЕ ГЛАГО́ЛОВ
VERBAL CONJUGATION
Present ind. tense

Гру́ппа I		Гру́ппа II	
рабо́тать (to work)		говори́ть (to speak)	
Я рабо́таю	Мы рабо́таем	Я говорю́	Мы говори́м
Ты рабо́таешь	Вы рабо́таете	Ты говори́шь	Вы говори́те
Он(а́) рабо́тает	Они́ рабо́тают	Он(а́) говори́т	Они́ говоря́т

(чита́ть, де́лать, ду́мать, знать ...   (смотре́ть, кури́ть, стро́ить ...
to read, to do, to think, to know)   to look, to smoke, to build)

Гру́ппа I a		Гру́ппа II a	
идти́ (to go)		люби́ть (to love)	
Я иду́	Мы идём	Я люблю́	Мы лю́бим
Ты идёшь	Вы идёте	Ты лю́бишь	Вы лю́бите
Он(а́) идёт	Они́ иду́т	Он(а́) лю́бит	Они лю́бят

(жить, ждать, нести́ ...   (спать, гото́вить ...
to live, to wait, to carry)   to sleep, to cook or to prepare)

Гру́ппа I b	
танцева́ть (to dance), организова́ть (to manage)	
Я танцу́ю, организу́ю	Мы танцу́ем, организу́ем
Ты танцу́ешь, организу́ешь	Вы танцу́ете, организу́ете
Он(а́) танцу́ет, организу́ет	Они танцу́ют, организу́ют

Past ind. tense

Инфинитив	он	она́	они́
рабо́та-ть говори́-ть жи-ть люби́-ть танцева́-ть	+Л	+ЛА	+ЛИ

Он рабо́тал, жил ...; она рабо́тала, жила́ ...; они рабо́тали, жи́ли ...

Future ind. tense	Future perf. tense
Быть (to be) + infinitive	**Купи́ть** Perfect form of a verb is conjugated like Pres. Ind. Tense
Я бу́ду Ты бу́дешь Он(а́) бу́дет Мы бу́дем Вы бу́дете Они́ бу́дут ⎫ + инфинитив	Я куплю́ Ты ку́пишь Он(а́) ку́пит Мы ку́пим Вы ку́пите Они́ ку́пят

За́втра я бу́ду рабо́тать.   За́втра я куплю́ телеви́зор.

 ПРА́КТИКА

• **Чита́йте. Read.**

Я ме́неджер фи́рмы IBM. Я рабо́таю ка́ждый день. У́тром в 8 часо́в я иду́ на рабо́ту, в 12 часо́в ланч – я обе́даю, немно́го читáю газéту йли журнáл, потóм рабóтаю. В 17 часóв я идý домóй. Дóма я готóвлю ýжин, потóм смотрю́ телевйзор йли слýшаю мýзыку и читáю. В суббóту я не рабóтаю, я люблю́ обéдать в рестора́не, а потóм идý на дискотéку йли в кинó.

I am the manager of the firm IBM. I work every day. At 8 o'clock in the morning I go to work. Lunch is at 12.00 – I have my lunch, read the newspaper or the magazin a little bit, after that I work. At 5.00 p.m. I go home. At home I cook dinner, after that I watch TV or listen to music and read. On Saturday I don't work, I like to eat in the restaurant, and after that I go to the discoclub or to the cinema.

- **In this text you've met the new words: *обéдать* – to have lunch and *ýжин* – dinner (or supper). So, we give you here new Russian words: breakfast – *зáвтрак*, to have breakfast – *зáвтракать*, lunch and to have lunch: *обéд* – *обéдать*, and dinner (or supper) – to have dinner (or supper): *ýжин* – *ýжинать*. As you guess, these verbs belong to the I group of Russian verbs.**

  Try to conjugate these verbs.

зáвтракать	обéдать	ýжинать
Я зáвтракаю	Я ...	Я ...
Ты ...	Ты обéдаешь	Ты ...
Он ...	Он ...	Он ýжинает
Мы зáвтракаем	Мы ...	Мы ...
Вы зáвтракаете	Вы ...	Вы ...
Онй зáвтракают	Онй ...	Онй ...

- **Using text 1 as a model, try to compose your own story about John, Anna and Anton.**

а) Э́то Джон. Он мéнеджер.

б) Э́то А́нна и Антóн. Онй рабóтают в фйрме IBM.

- **Скажи́те, пожа́луйста.**

1. Когда́ вы за́втракаете? Обе́даете? У́жинаете?
2. Вы за́втракаете до́ма? (at home)
3. Вы обе́даете до́ма и́ли в рестора́не?
4. Вы у́жинаете в 7 и́ли в 8 часо́в (ве́чера)?
5. В воскресе́нье вы обе́даете до́ма и́ли в рестора́не?
6. Вы лю́бите обе́дать в рестора́не?
7. В суббо́ту вы рабо́таете?
8. Вы смо́трите телеви́зор ве́чером?
9. Что вы де́лаете ве́чером?
10. Вы лю́бите гото́вить?
11. Сего́дня вы хоти́те у́жинать в рестора́не?

Глаго́лы **ХОТЕ́ТЬ, ЛЮБИ́ТЬ** (TO WANT, TO LOVE)

хоте́ть [hat'ét']		**люби́ть** [liubít']	
Я хочу́	Мы хоти́м	Я люблю́	Мы лю́бим
Ты хо́чешь	Вы хоти́те	Ты лю́бишь	Вы лю́бите
Он(а́) хо́чет	Они́ хотя́т	Он(а́) лю́бит	Они́ лю́бят

Я **хочу́**   сала́т, мя́со, ры́бу.   I want   salad, meat,
Я **люблю́** чита́ть.   I love   fish (*object form*).
                                                             to read (*inf.*).

ВЫРАЖЕ́НИЕ ОБЪЕ́КТА – ВИНИ́ТЕЛЬНЫЙ ПАДЕ́Ж

OBJECT IN RUSSIAN – ACCUSATIVE CASE

Like in English, after verbs *хоте́ть* и *люби́ть* **(to want and to love) we must use the direct object or infinitive:**

Я хочу́ мя́со.	I want meat.
Я хочу́ обе́дать.	I want to have lunch.
Я люблю́ молоко́ и чай.	I like milk and tea.
Я люблю́ слу́шать ра́дио.	I like to listen to radio.

If we use a noun as the direct object after transitive verbs
хоте́ть, чита́ть, слу́шать ... **(to want, to read, to listen ...) we change the ending of a word:**

Асс. с.	а ⟶ у	Э́то Аме́рика. ⟶	Я люблю́ Аме́рику.
	я ⟶ ю	Э́то Росси́я. ⟶	Я люблю́ Росси́ю.

Э́то **Деле́нд**. Я люблю́ и хорошо́ зна́ю **Деле́нд**.
Э́то **Орла́ндо**. Я люблю́ и хорошо́ зна́ю **Орла́ндо**.
Но: Э́то **Флори́да**. Я люблю́ и хорошо́ зна́ю **Флори́ду**.
Э́то **Калифо́рния**. Я люблю́ и хорошо́ зна́ю **Калифо́рнию**.

 Диало́ги

1. – Ты хо́чешь чай и́ли ко́фе?
   – Я хочу́ чай.

2. – Вы хоти́те мя́со и́ли ры́бу?
   – Я хочу́ ры́бу.

3. – Что ты лю́бишь – вино́ и́ли во́дку?
   – Я люблю́ пи́во.

4. – Вы лю́бите молоко́?
   – Да, я о́чень люблю́ молоко́.

5. – Что вы лю́бите?
   – Я люблю́ ве́чером чита́ть газе́ту.

6. – Что вы хоти́те де́лать в суббо́ту?
   – Я хочу́ смотре́ть фильм «Тита́ник».

Я МОГУ́ ..., Я ДО́ЛЖЕН ... (I CAN ..., I HAVE TO, I MUST ...)

After Russian words: *Я могу́* **(I can ...) or** *Я до́лжен* **(I have to ..., I must ...) we also use infinitive:**

Я могу́ рабо́тать в суббо́ту.	I can work on Saturday.
Я до́лжен купи́ть хлеб, молоко́ и ры́бу.	I have to buy bread, milk and fish.

Я могу́		Он до́лжен	+ инфинити́в
Ты мо́жешь	+ инфинити́в	Она́ должна́	(рабо́тать,
Он(а́) мо́жет	(рабо́тать, чи-	Они́ должны́	чита́ть ...)
Мы мо́жем	та́ть ...)		
Вы мо́жете			
Они́ мо́гут			

Диало́ги

1. – Ты хо́чешь сего́дня обе́дать в рестора́не?
   – Извини́, не могу́. Я до́лжен рабо́тать. Но за́втра я могу́. Хо́чешь за́втра?
   – Хорошо́, пойдём за́втра.

2. – Что ты де́лаешь ве́чером?
   – Я должна́ гото́вить у́жин. Я пригото́влю сала́т, мя́со.

3. – Ма́ма мо́жет хорошо́ гото́вить суп, а па́па не мо́жет. Когда́ ма́ма рабо́тает, мы должны́ обе́дать в рестора́не.
   – О, э́то хорошо́! Я то́же не могу́ и не люблю́ гото́вить, но я не могу́ обе́дать в рестора́не – э́то сли́шком до́рого.

4. – Извини́те, я не могу́ говори́ть по-ру́сски.
   – А вы хоти́те говори́ть?
   – Да, коне́чно. [kaniéshna] (of course = certainly = sure)
   – Ну, вы должны́ мно́го рабо́тать.

5. – За́втра суббо́та, и я могу́ мно́го спать, но пото́м я до́лжен рабо́тать – чита́ть докуме́нты. А ты что де́лаешь за́втра?
   – Я то́же хочу́ спать, а пото́м я до́лжен пойти́ в магази́н и купи́ть мно́го проду́ктов, а ве́чером мы должны́ гото́вить у́жин. Ма́ма, па́па, ба́бушка, де́душка и брат – мы хоти́м вку́сно поу́жинать до́ма. Хо́чешь поу́жинать с на́ми? (with us?)
   – О, спаси́бо! С удово́льствием! [s udavól'stv'iyem] Thank you! With pleasure!
   – Вот и хорошо́! Приходи́ за́втра в 7 часо́в.
   – До за́втра!

НÓВАЯ ГРАММÁТИКА

NEW GRAMMAR

ГДЕ?

WHERE?

In English, answering a question *Where?* we use different prepositions: in, at, on, near... etc. In Russian we use different prepositions also. *But besides that* we change the ending to the word:

– Где [gdie] вы рабóтаете?	– Where do You work?
– В магазúне.	– In the store.
– В Лóндоне.	– In London.
– В университéте.	– At the University.

Memorize!

If we mean location of the action, we use two prepositions in Russian: *в* (which means "inside of any space") and *на* (which means "on"). So, sometimes, there will be a difference between English and Russian:

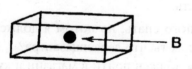 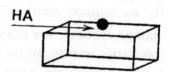

В университéте	At the University
В магазúне	In the store
На ýлице	In the street
В России	In Russia

Где?	В НА	+ ... -Е	Где?	В НА	+ ... -И

Где?	*Где?*	Notes:
в ресторáне	в Росси́и, в А́нглии	-ия (Росси́я, А́нглия)
в Деле́нде	в Твери́	-ь (Тверь) – *fem.*
в Москве́	в зда́нии	-ие (зда́ние)
в Аме́рике		

Где?	Notes:
в кино́, в метро́,	never change:
в бюро́, в кафе́	кино́, метро́, бюро́, кафе́

Где?

до́ма (at home)

здесь = тут (here)

там (there)

ПРА́КТИКА

• **Скажи́те, пожа́луйста.**

1. Где вы живёте – в Аме́рике и́ли в Росси́и?
2. Где вы рабо́таете – в ба́нке и́ли в фи́рме?
3. Где вы обе́даете – до́ма и́ли в ресторáне?
4. Где вы лю́бите смотре́ть фи́льмы – в кино́ и́ли до́ма?
5. Где вы чита́ете журна́л и́ли газе́ту – в библиоте́ке, в па́рке и́ли до́ма?
6. Где вы смо́трите телеви́зор?
7. Где вы за́втракаете?
8. Где вы лю́бите обе́дать в воскресе́нье?
9. Где живу́т ма́ма и па́па?
10. Где живёт де́душка?

Диало́ги

1. – Ви́ктор, где вы рабо́таете?
 – Я рабо́таю в ба́нке. А вы?
 – Я рабо́таю в компа́нии «Самсу́нг».

2. – А́нна, где ты купи́ла костю́м?
 – В магази́не ГУМ. Краси́во? (nice?)
 – Да, о́чень краси́во!

3. – Где вы живёте?
– В Орла́ндо. А вы?
– Мы живём в Майа́ми.

4. – Вы живёте в Москве́? ↗
– Нет, я живу́ в Петербу́рге, а мой брат живёт в Москве́.

5. – Джон, где ты был вчера́ ве́чером?
– До́ма. Смотре́л телеви́зор.

6. – Сего́дня ве́чером ты будешь до́ма? ↗
– Нет, я бу́ду у́жинать в рестора́не.

Memorize!

You can see in dialogues N 5 and 6 new verbs: *был ... бу́ду* – **Past Tense and Future Tense of the verb** *быть* **(to be). Usually this verb does not exist in Present Ind. Tense, and we translate into Russian: I** *am* **the student** – *Я студе́нт.* **This** *is* **a brother** – *Э́то брат.* **I am at home** – *Я до́ма.* **But if we use the same construction in the Past or Future, we must use verb "to be" in Russian: I** *was* **a student** – *Я был студе́нтом.* **It** *was* **a brother** – *Э́то был брат.* **I** *was* **at home** – *Я был до́ма.* **Tomorrow I** *will be* **at home** – *За́втра я бу́ду до́ма.*

● **Complete the dialogues.**

1. – Где вы живёте и рабо́таете?
– ...

2. – ...
– Я живу́ в Аме́рике.

3. – ...
– Нет, я рабо́таю в ба́нке.

4. – За́втра ты бу́дешь до́ма?
– ...

5. – В воскресе́нье ты будешь до́ма? ↗
– Да, ... А ве́чером мы бу́дем обе́дать в рестора́не. А ты где бу́дешь?
– ...

6. – ...
– Мы бы́ли в теа́тре, смотре́ли бале́т.
– Интере́сно бы́ло?
– ...

7. – Вы лю́бите обе́дать в рес-
тора́не?

– ...

8. – Вы мо́жете говори́ть по-
ру́сски?

– ...

ОБЗО́РНАЯ СТРАНИ́ЦА

REVIEW PAGE

By now you know the following Russian questions and answers:

1. – Кто (что) э́то?   – Кто э́то?   – Что э́то?   – Who (what) is this?
– Э́то ...   – Э́то ма́ма.   – Э́то магази́н.   – This is ...

2. – Э́то ма́ма?   – Э́то магази́н?   Is this a ...?
– Да, э́то ма́ма. – Да, э́то магази́н. (Нет, ...) Yes, it is a ... (No.)
(Нет, ...)

3. Ско́лько?   How much? = How many?
Ско́лько э́то сто́ит?   How much is it?
Ско́лько с меня́?   How much shall I pay?

1 до́ллар, рубль; 2 – 4 до́ллара, рубля́; 5 – 20 до́лларов, руб-
ле́й...

4. Ско́лько вре́мени?   What time is it?

1 час, мину́та; 2 – 4 часа́, мину́ты; 5 – 20 часо́в, мину́т ...

5. Когда́?   When?

В час; в 5 часо́в 30 мину́т ...
В понеде́льник, в пя́тницу. Сего́дня, за́втра... Ра́ньше, сей-
ча́с... У́тром, ве́чером ...

6. – Что вы де́лаете?   – What are you doing?
– Я чита́ю.   – I am reading.

7. – Отку́да вы?   – Where are you from?
– Я из Аме́рики, из Деле́нда.   – I am from America, from De-
land.

8. Где?   Where?

– Где ма́ма?

– Она́ до́ма ...

– Где вы живёте?

– Я живу́ в Аме́рике, в России...

9. Как?...   How?...

     Как дела́?   How are you?

– Как дела́?

– Спаси́бо, хорошо́.

10. – Как вас зову́т?   – What is your name?

    – Меня́ зову́т ... (А́нна).   – My name is ... Anna.

ПРА́КТИКА

● **Try to read and translate this text. After that put some questions and answer them.**

Сего́дня суббо́та, и я не рабо́таю – хорошо́! У́тром, в 9 часо́в я за́втракаю – **ем** хлеб, сыр и **пью** ко́фе, чита́ю газе́ту, а пото́м иду́ в магази́н, потому́ что (because) хочу́ купи́ть мя́со, сыр, молоко́, йо́гурт, о́вощи, фру́кты. До́ма я гото́влю обе́д – немно́го: ве́чером я бу́ду у́жинать в рестора́не. Как хорошо́, что за́втра воскресе́нье и я бу́ду мно́го спать!

А в понеде́льник я бу́ду рабо́тать. Я рабо́таю в фи́рме, я ме́неджер. Ка́ждый день (every day) я рабо́таю 8 часо́в, а в пя́тницу я рабо́таю 7 часо́в. Я из шта́та Кенту́кки, но сейча́с я живу́ и рабо́таю во Флори́де, в Деле́нде. Здесь хорошо́ жить – тепло́ и споко́йно (it is warm and peaceful here). Здесь мно́го студе́нтов. Мой друг – студе́нт университе́та Сте́тсон. В суббо́ту и́ли в воскресе́нье мы лю́бим обе́дать в рестора́не в це́нтре го́рода.

КАКО́Й? (*masc.*), КАКА́Я? (*fem.*), КАКО́Е? (*neut.*), КАКИ́Е? (*pl.*)
WHAT = WHICH?

Ajectives in Russian are said to agree with the nouns they modify. And it will be again the general rule:

– Како́й (э́то) магази́н? – Кака́я (э́то) у́лица? – Како́е (э́то) кафе́?

     (он)   **(она́)**   **(оно́)**

– What is this shop?   street?   café?

     (*masc.*)   (*fem.*)   (*neut.*)

– Э́то но́вый магази́н. – Э́то но́вая у́лица. – Э́то но́вое кафе́.

– This is a new shop. – This is a new street. – This is a new cafe.

но́вый (-ая, -ое) ≠ ста́рый (-ая, -ое) [nóvyĭ ≠ stáryĭ] new ≠ old

краси́вый (-ая, -ое) [krasívyĭ] beautiful

большо́й (-а́я, -о́е) ≠ ма́ленький (-ая, -ое) big (large) ≠ small (little)
[bal'shóĭ ≠ málen'kiĭ]

интере́сный (-ая, -ое) [interésnyĭ] interesting

хоро́ший (-ая, -ее) ≠ плохо́й (-а́я, -о́е) good ≠ bad
[harósheĭ ≠ plakhóĭ]

Э́то краси́вый го́род.	Э́то краси́вая страна́.	Э́то краси́вое зда́ние.
This is a beautiful city.	This is a beautiful country.	This is a beautiful building.

So, it is important in Russian to hear the question, because its form gives you the right form of ending. For example:

Како́й э́то го́род? – Э́то большо́й, ста́рый, краси́вый го́род.

Кака́я э́то страна́? – Э́то больша́я, краси́вая страна́.

Како́е э́то метро́? – Э́то большо́е, ста́рое, краси́вое метро́.

ИМЕНИ́ТЕЛЬНЫЙ ПАДЕ́Ж ПРИЛАГА́ТЕЛЬНЫХ
NOMINATIVE CASE FOR ADJECTIVES

он		она́		оно́		они́	
како́й?		*кака́я?*		*како́е?*		*каки́е?*	
-ый, -ий, -ой		-ая (-яя)		-ое, -ее		-ые, -ие	
но́вый		но́вая		но́вое		но́вые	ба́нки
хоро́ший	банк	хоро́шая	фирма	хоро́шее	кафе	хоро́шие	фи́рмы
большо́й		больша́я		большо́е		больши́е	кафе

- **Скажи́те, пожа́луйста.**

1. Кака́я страна́ Аме́рика – больша́я и́ли ма́ленькая?

2. Како́й ваш (your) го́род – краси́вый и́ли некраси́вый?

3. Како́й ваш сын?

4. Кака́я ва́ша дочь?

5. Кака́я ва́ша маши́на?

ЧЕЙ? (*masc.*), **ЧЬЯ?** (*fem.*), **ЧЬЁ?** (*neut.*), **ЧЬИ?** (*pl.*)

WHOSE?

Like adjectives, possessive pronouns *my, your, our* ... have different endings to agree with the nouns they modify:

my – your son	мой – твой сын
our – your son (plural or formal)	наш – ваш сын
my – your daughter	моя́ – твоя́ дочь
our – your daughter	на́ша – ва́ша дочь
my – your ring	моё – твоё кольцо́
our – your ring	на́ше – ва́ше кольцо́
my – your children	мой – твой де́ти
our – your children	на́ши – ва́ши де́ти

And never change in Russian words: *его, её, их* [yevo, yeyo, eeh] *his, her, their:*

Его́ сын, дочь, кольцо́, де́ти.	His	
Её сын, дочь, кольцо́, де́ти.	Her	son, daughter, ring, children.
Их сын, дочь, кольцо́, де́ти.	Their	

ИК-5

ИК-5 – EXCLAMATION, EMOTIONS!

We use this type of intonation in the constructions with question-words *как, како́й* ... **etc, but they are not a question:** ⌐ ▪ – ▪ – ↘ .

Како́й краси́вый го́род!	What a beautiful city!
Как хорошо́!	What a pleasure!
Как краси́во!	How nice it is!
Как (э́то) интере́сно! ... etc.	How interesting it is!

ПРА́КТИКА

1. – Кто э́то?
   – Это мой сын.
   – Како́й большо́й и краси́вый ма́льчик!

   – Who is this?
   – This is my son.
   – What a big and a nice boy!

2. – Кака́я краси́вая де́вочка! Это ва́ша дочь?
   – Да, э́то моя́ дочь, Ма́ша.

   – What a nice girl! Is she your daughter?
   – Yes, ...

3. – Чей э́то ма́льчик? Где его́ па́па и ма́ма?
   – Это наш сын. Мы – его́ па́па и ма́ма. Ма́ленький мой! Не плачь! Мы здесь.

   – Whose is this boy? Where are his ...?
   – This is our son. We are his ... My baby! Don't cry! We are here ...

4. – Моя хорóшая дéвочка! Что ты дéлаешь?

Читáешь и́ли смóтришь телеви́зор?

– Я смотрю́ телеви́зор – нóвый фильм «Титáник».

– Интерéсный?

– Да, óчень интéресный и краси́вый фильм!

– А чей э́то фильм? Русский?

– Нет, э́то нóвый америкáнский фильм.

VERY USEFUL WORDS

Цветá

Colours

чёрный ≠ бéлый [chiornyĭ ≠ biélyĭ]	black ≠ white
крáсный [krásnyĭ]	red
си́ний [síneĭ]	blue
жёлтый [zhóltyi]	yellow
зелёный [zeliónyĭ]	green
кори́чневый [karíchnevyĭ]	brown
сéрый [siéryĭ]	grey
орáнжевый [aránzhyvyĭ]	orange
голубóй [galubóĭ]	light blue
свéтлый ≠ тёмный [sviétlyĭ≠tiómnyĭ]	light ≠ dark

Цветы́

Flowers

рóза	rose
тюльпáн	tulip
нарци́сс	narcisus
сирéнь	lilac
ромáшка	camomile

ПРА́КТИКА

1. Како́й хлеб ты хо́чешь – чёрный и́ли бе́лый?

Како́е я́блоко вы хоти́те – кра́сное и́ли зелёное?

Како́е вино́ вы лю́бите – бе́лое и́ли кра́сное?

Кака́я икра́ хоро́шая – чёрная и́ли кра́сная?

Како́й апельси́н?

Како́й океа́н? (ocean)

Како́й цвет вы лю́бите?

Каки́е цветы́ вы лю́бите?

2. Это мой сын. – Како́й хоро́ший ма́льчик!

Это моя́ дочь. – Кака́я краси́вая ма́ленькая де́вочка!

Это наш го́род. – О! Како́й краси́вый и зелёный го́род!

Это на́ше америка́нское бе́лое вино́. – Да, я зна́ю, калифор-
ни́йское вино́ – о́чень хоро́шее.

Диало́ги

1. *На уро́ке*

– Скажи́те, пожа́луйста, Москва́ – ста́рый го́род?

– Да, Москва́ – ста́рый ру́сский го́род. И краси́вый. А ваш го́-
род?

– Наш го́род не о́чень ста́рый. Он ма́ленький, споко́йный, кра-
си́вый и всегда́ (always) зелёный. Вы зна́ете, во Флори́де нет
зимы́, как в Москве́. Здесь всегда́ тепло́, зелёные па́рки и у́ли-
цы. Здесь хорошо́ жить – не хо́лодно, всегда́ фру́кты, о́вощи,
цветы́.

– Как интере́сно! Я хочу́ посмотре́ть (to see) ваш го́род.

– Пожа́луйста! Когда́ вы хоти́те?

– Ду́маю, зимо́й. Это хоро́шее вре́мя. В Москве́ хо́лодно, а во
Флори́де тепло́.

– Хоро́шая иде́я! Приезжа́йте! (Come! = Welcome to see us ...)

– До встре́чи! (See you.)

2. На у́лице Москвы́

– Здра́вствуй, А́нна! Как ты живёшь? Как семья́, де́ти, рабо́та?

– Здра́вствуй, Ива́н! Всё хорошо́: я рабо́таю в фи́рме, муж рабо́тает в большо́й компа́нии. А э́то мой сын Са́ша.

– Како́й большо́й ма́льчик! Здра́вствуй, Са́ша!

– Здра́вствуйте. О́чень прия́тно.

– А как ты, Ива́н? Что ты де́лаешь в Москве́? Я зна́ю, что ты рабо́таешь в Петербу́рге.

– Да, я живу́ и рабо́таю там, в университе́те. Но сейча́с в Москве́ конфере́нция, и я бу́ду жить здесь 3 дня, а пото́м я до́лжен пое́хать (I must go) в Аме́рику на конфере́нцию.

– Кака́я интере́сная жизнь!

– Да, пра́вда. Ну, мне пора́, извини́. В 2 часа́ я до́лжен быть в университе́те. До свида́ния! (Yes, that's true. Well, it's time to go, sorry. At two o'clock I must be at the University).

– Всего́ хоро́шего, Ива́н! Бу́дешь в Москве́ – позвони́. (All the best, Ivan! If You will be in Moscow, call me).

– Хорошо́, до встре́чи!

КОЕ-ЧТО ВА́ЖНОЕ О ПРИЛАГА́ТЕЛЬНЫХ И ПРИТЯЖА́ТЕЛЬНЫХ МЕСТОИМЕ́НИЯХ
SOMETHING IMPORTANT ABOUT ADJECTIVES AND POSSESSIVE PRONOUNS IN RUSSIAN

As we told you before, it is very important in Russian to pay attention to the question, because question word usually helps you to put the right ending of a word:

Како́й э́то журна́л? – Э́то большо́й журна́л. Кака́я э́то газе́та? – Э́то больша́я газе́та.

Чей э́то сын? – Э́то мой сын. Чья э́то дочь? – Э́то моя́ дочь.

And you must know that Russian nouns, pronouns and adjectives have the Case form. There are 6 cases in Russian and you've already met all of them. But now we'll give you some rules how to use endings. Listed below are Nominative, Accusative and Prepositional case endings of nouns, ajectives and possesive pronouns in singular and plural forms.

ИМЕНИ́ТЕЛЬНЫЙ ПАДЕ́Ж
NOMINATIVE CASE-DICTIONARY FORM, SUBJECT, TITLE

	Singular			Plural	
	masc.	neut.	fem.	masc., fem.	neut.
Noun *кто?* *что?*	*, -ь, -й студе́нт секрета́рь музе́й	-о, -е письмо́ мо́ре	-а, -я, -ь студе́нтка шко́ла Росси́я дочь	-ы, -и студе́нты студе́нтки шко́лы музе́и	-а, -я пи́сьма моря́
Pronoun *что?* *кто?*	я, ты, он	оно́	я, ты, она́	мы, вы, они́	
Poss. Pron.	*чей?* мой, твой наш, ваш его́	*чьё?* моё, твоё на́ше, ва́ше его́	*чья?* моя́, твоя́ на́ша, ва́ша её	*чьи?* мои́, твои́ на́ши, ва́ши их	

	Singular			Plural	
	masc.	neut.	fem.	masc., fem.	neut.
Adjective	*какóй?*	*какóе?*	*какáя?*	*какúе?*	
	-ой, -ый, -ий	-ое, -ее	-ая, -яя	-ые, -ие	
	большóй	большóе	большáя	большúе	
	нóвый	нóвое	нóвая	нóвые	
	хорóший	хорóшее	хорóшая	хорóшие	
			сúняя		

* The last letter is consonant.

Это наш нóвый студéнт, нáша нóвая студéнтка, нáши нóвые студéнты.

Это наш большóй мýзей, нáше большóе письмó, нáша большáя Россúя, нáши большúе музéи, теáтры ...

ПРÁКТИКА

Мы смóтрим фóто.

1. – Смотрúте! Это ýлица, где я живý: вот моя стáрая шкóла, а это наш нóвый кинотеáтр, вот óчень хорóшее мáленькое кафé, а это наш дом и нáша нóвая, красúвая, но óчень дорогáя машúна.

   – Да, красúвое мéсто. Ваш дом óчень большóй. Он стáрый?

   – Нет, не óчень.

2. – А это кто?

   – Это моя семья: мой отéц, моя мать, моя сестрá, мой бáбушка и дéдушка.

   – А это ты?

   – Да, я, но ещё мáленький. Это стáрое фóто.

   – Твоя сéстра óчень красúвая, как и вáша мáма.

   – Спасúбо.

ВИНИ́ТЕЛЬНЫЙ ПАДЕ́Ж

ACCUSATIVE CASE-DIRECT OBJECT (HERE WE GIVE ENDINGS ONLY FOR QUESTION *ЧТО?* – NOT FOR PERSONS)

	Singular			Plural
	masc.	neut.	fem.	
Noun *что?*	=Nom. музе́й теа́тр	=Nom. письмо́ мо́ре	а→у, я→ю шко́лу Росси́ю	=Nom. музе́й пи́сьма шко́лы
Pronoun *что? кого́?*	меня́, тебя́ его́	его́	меня́, тебя́ её	нас, вас их
Poss. Pron.	=Nom. *чей?* мой, твой наш, ваш его́	=Nom. *чьё?* моё, твоё на́ше, ва́ше его́	*чью?* мою́, твою́ на́шу, ва́шу её	=Nom. *чьи?* мои́, твои́ на́ши, ва́ши их
Adjective	=Nom. *како́й?* -ой, -ый, -ий большо́й но́вый хоро́ший	=Nom. *како́е?* -ое, -ее большо́е но́вое хоро́шее	*каку́ю?* -ую, -юю большу́ю но́вую хоро́шую си́нюю	=Nom. *каки́е?* -ые, -ие больши́е но́вые хоро́шие

Я люблю́ наш Большо́й теа́тр, на́ше Чёрное мо́ре, на́шу большу́ю, краси́вую страну́ – Росси́ю.

Я хорошо́ зна́ю на́ши моско́вские музе́и, теа́тры.

ПРА́КТИКА

1. – Я люблю́ смотре́ть америка́нские фи́льмы. А вы?

– Я не о́чень люблю́ америка́нское кино́.

2. – Вы хорошо́ зна́ете Москву́?

– Ду́маю, я хорошо́ зна́ю ста́рую Москву́ – Кремль, Кра́сную пло́щадь (Kremlin, the Red Square), центра́льные у́лицы, а но́вую Москву́ я зна́ю пло́хо.

3. – Как вас зову́т?

– Меня́ зову́т А́нна. А э́то мой брат. Его́ зову́т Ви́ктор.

4. – Я люблю́ ру́сскую му́зыку. А вы?

– ...

5. Како́й цвет вы лю́бите?

Како́е ме́сто в Москве́ вы хорошо́ зна́ете?

Каки́е газе́ты и журна́лы вы чита́ете?

ПРЕДЛО́ЖНЫЙ ПАДЕ́Ж

PREPOSITIONAL CASE – LOCATION (*WHERE?*)

	Singular			Plural
	masc.	neut.	fem.	
Noun *где?*	-е, -и (в) музе́е (в) санато́рии	-е, -и (в) мо́ре (в) зда́нии	-е, -и (в) шко́ле (в) Росси́и	-ах, -ях (в) шко́лах (в) музе́ях
Pronoun				
Poss. Pron.	(в, на)*чьём?* (в) моём, (в) твоём (в) на́шем, (в) ва́шем (в) его́		(в, на)*чьей?* (в) мое́й, (в) твое́й (в) на́шей, (в) ва́шей (в) её	(в, на)*чьих?* (в) мои́х, (в) твои́х (в) на́ших, (в) ва́ших (в) их
Adjective	(в, на) *како́м?* (в) большо́м (в) но́вом (в) хоро́шем		(в, на)*како́й?* (в) большо́й (в) но́вой (в) хоро́шей	(в, на)*каки́х?* (в) больши́х (в) но́вых (в) хоро́ших

Я был в на́шем но́вом музе́е, в на́шем но́вом зда́нии, в на́шей но́вой шко́ле, в на́ших но́вых музе́ях.

 Диало́ги

1. – Вы бы́ли в Большо́м теа́тре?

– Нет, ещё не был. Но я был на Кра́сной пло́щади и в Кремле́.

2. – Вчера́ мы бы́ли в интере́сном музе́е.

– В како́м? В Истори́ческом?

– Нет, в Третьяко́вской галере́е.

3. – Вы рабо́таете на фа́брике?

– Да, я рабо́таю на фа́брике. А вы?

– Я рабо́таю в са́мом большо́м Росси́йском университе́те – МГУ. Вы бы́ли там?

– Нет ещё.

4. – Где вы бы́ли в суббо́ту у́тром?

– Я была́ до́ма, а де́ти – в шко́ле, на интере́сном конце́рте.

У МЕНЯ ЕСТЬ...

I HAVE...

У меня́ есть [u mieniá yést'] ма́ма. **У меня́ есть** па́па. **У меня́ есть** брат и сестра́. **У меня́ есть** семья́.

У меня́ есть маши́на. **У меня́ есть** дом. **У меня́ есть** де́ньги.

Э́то **я**. **У меня́** есть... .	That's me. I have... .
Э́то **ты**. **У тебя́** есть... де́ньги.	That's you. You have... money.
Э́то **он**. **У него́** есть... .	That's him. He has... .
Э́то **она́**. **У неё** есть... де́ньги.	That's her. She has... money.
Э́то **мы**. **У нас** есть... .	That's us. We have... .
Э́то **вы**. **У вас** есть... де́ньги.	That's you. You have... money.
Э́то **они́**. **У них** есть	That's them... They have... .
Э́то А́нна и Анто́н. У А́нн**ы** и Анто́н**а** есть... де́ньги.	........Anna has... Anton has...

У ВАС Е́СТЬ...?

DO YOU HAVE...?

– У вас е́сть [u vas yest'] маши́на?   – У вас есть маши́на?

– Да, есть. (Да, у меня́ есть маши́на.)   – Нет.

🎧 **Диало́ги**

1. – У вас есть де́ти?
   – Да, есть сын и дочь.
     А у ва́с?
   – У меня́ есть сын.

3. – Это ваш брат?
   – Да.
   – У него́ есть компью́тер?
   – Да, у него́ есть но́вый компью́тер.

2. – У вас есть маши́на?
   – Да, у меня́ есть маши́на.
     А у ва́с?
   – Нет.

4. – Это ва́ша сестра́?
   – Нет, э́то моя́ подру́га.
   – А у вас есть сестра́ и́ли брат?
   – Нет, я то́лько одна́ дочь в семье́.

● **Скажи́те, пожа́луйста.**

1. У вас есть семья́?   Do You have a family?
2. У вас есть де́ти?
3. У вас есть дом и маши́на?
4. У вас есть рабо́та?   Do You have a job?
5. У вас есть свобо́дное вре́мя?   Do You have a free time?

У МЕНЯ́ НЕТ
I HAVE NO...

У меня́ *нет*	бра́та сестры́	[u meniá net bráta i siestrý]	I have no... (brother and sister)

У меня́ *нет*	сы́ра мя́са ры́бы	I have no	cheese (*masc.*) meat (*neut.*) fish (*fem.*)

As you learned it before, using construction *I have... you have... he has...* **etc. in Russian we put Subject (I, You, any name or noun) in Genitive Case with preposition** *y* (*page 55*):

У меня́ есть сыр, мя́со, ры́ба.

When we want to say *I have no...*, after word *нет* we put the object also in Genitive Case (ending -*a*, -*я masc.*, *neut.* and -*ы*, -*u fem.*:

У меня́ **нет** сы́ра, мя́са, ры́бы.

РОДИ́ТЕЛЬНЫЙ ПАДЕ́Ж (ЕД.Ч.)

нет *кого́?*
чего́?

GENITIVE CASE (SINGULAR)

отку́да?

	Singular			Plural
	masc.	neut.	fem.	
Noun *кого́? чего́? отку́да?*	-а, -я студе́нта музе́я из теа́тра	-а, -я письма́ мо́ря из окна́	-ы, -и студе́нтки газе́ты из Москвы́	
Pronoun *кого́? чего́?*	меня́, тебя́ его́	его́	меня́, тебя́ её	нас, вас их
Poss. Pron.	*чьего́?* моего́, твоего́ на́шего, ва́шего его́		*чьей?* мое́й, твое́й на́шей, ва́шей её	*чьих?* мои́х, твои́х на́ших, ва́ших их
Adjective	*како́го?* -ого, -его большо́го но́вого хоро́шего		*како́й?* -ой, -ей большо́й но́вой хоро́шей	*каки́х?* -ых, -их больши́х но́вых хоро́ших

У меня́ **нет** но́вого журна́ла, но́вой газе́ты.

Сего́дня в кла́ссе **нет** на́шего но́вого студе́нта и на́шей но́вой студе́нтки.

У моего́ дру́га **нет** но́вого компью́тера, но́вой маши́ны.

 Диало́ги

1. – Скажи́те, пожа́луйста, отку́да вы?
   – Я из Аме́рики, из шта́та Мичига́н. А вы?
   – Я из Росси́и, из Петербу́рга.

2. – У вас есть брат?

– Нет, у меня́ нет бра́та, у меня́ есть сестра́. А у вас?

– У меня́ есть два бра́та, но нет сестры́.

3. – У тебя́ есть маши́на?

– Нет, у меня́ нет маши́ны, но у моего́ бра́та есть.

Memorize!

У меня́ нет вре́мени. [u mieniá net vrémeni] I have no time.

У меня́ нет де́нег. [u mieniá net d'énik]   I have no money.

ПРА́КТИКА

У меня́ нет бра́та. У меня́ нет сестры́. У тебя́ нет де́душки. У тебя́ нет ба́бушки. У него́ нет компью́тера. У него́ нет маши́ны. У неё нет телефо́на. У неё нет рабо́ты. У нас нет вре́мени. У нас нет де́нег. У вас нет докуме́нта. У вас нет ви́зы. У них нет сы́на. У них нет **до́чери**. У студе́нта нет словаря́ (dictionary). У студе́нтки нет газеты. У сы́на нет компью́тера. У до́чери нет па́спорта.

ГДЕ?.. НЕТ...
THERE IS NO... IN...

For the construction *There is no... in...* **in Russian we use the next model:**

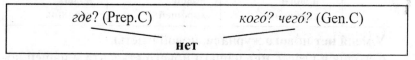

где? (Prep.C)	*кого? чего?* (Gen.C)
нет	

Во Флори́де   нет   сне́га (snow).

На у́лице   нет   маши́ны.

- **Скажи́те, пожа́луйста.**

1. У вас есть ста́рший и́ли мла́дший (elder or younger) брат?

2. У вас есть ста́ршая сестра́?

3. В Москве́ есть метро́?

4. Во Флори́де есть снег?

5. В Аме́рике есть ру́сские маши́ны?

6. В Росси́и есть америка́нские маши́ны?

7. Здесь есть телефо́н?

8. У вас в Аме́рике есть ру́сские рестора́ны?

VERY USEFUL WORDS

У меня́ нет вре́мени.	[u meniá net vrémeni]	I have no time.
У вас есть сда́ча?	[u vas yest' zdácha]	Do you have change?
У меня́ нет ме́лочи.	[u meniá net miélachi]	I have no coins (change).
Где здесь туале́т?	[gdie zdes' tualiét]	Where is the rest room?
Где здесь ста́нция метро́?	[gdie zdes' stánceya metró]	Where is the metro station?
Здесь есть телефо́н (рестора́н)?	[zdies' yest' telefón (restarán)]	Is there a telephone (restaurant etc.) over here?

 ## Диало́ги

1. В рестора́не

– Я хочу́ воды́. У вас есть холо́дная вода́? (I want some water. Do You have the cold water?)

– Нет, воды́ у нас нет. Хоти́те сок (juice) и́ли кока́-ко́лу?

– Пожа́луйста, сок. У вас есть апельси́новый?

– Да. Что ещё?

– Сала́т и немно́го мя́са. А пото́м чай.

– Хорошо́, мину́точку.

2. На у́лице

– Извини́те, где здесь телефо́н?
– Здесь нет телефо́на, он то́лько на ста́нции метро́.
– А где метро́?
– Там. Ви́дите бу́кву «М»? (Do you see the letter "M"?) Это
метро́.
– Там? Кра́сная?
– Да.
– Спаси́бо. А на ста́нции метро́ есть туале́т?
– Нет, в метро́ нет туале́та. И здесь на у́лице то́же нет. Вы
должны́ пойти́ в кафе́ и́ли рестора́н – там есть туале́т. Туа-
ле́ты в Москве́ – больша́я пробле́ма!
– Да, зна́ю. Спаси́бо ещё раз! (Thanks again!) До свида́ния!
– До свида́ния! Всего́ хоро́шего!

3. В магази́не

– У вас есть план Москвы́ и метро́?
– Вот, пожа́луйста, план Москвы́, и там есть план метро́.
Ви́дите?
– Это хорошо́, я возьму́. Но я хочу́ ма́ленький план метро́.
У вас он есть?
– К сожале́нию [ksazhylie'neyu] нет. (Unfortunately, no.) Я ду́-
маю, вы мо́жете купи́ть план метро́ в кио́ске.
– Хорошо́, спаси́бо. Ско́лько сто́ит план Москвы́?
– Рубль де́сять. (1 рубль 10 копе́ек.)
– Вот 2 рубля́. У меня́ нет ме́лочи...
– Ничего́. Вот сда́ча – 90 (девяно́сто) копе́ек.
– Спаси́бо.

60

МОЖНО́ ≠ НЕЛЬЗЯ́ + INF.

IT IS POSSIBLE ≠ IT IS FORBIDDEN (NOT ALLOWED)

Здесь мо́жно кури́ть? [zdes' mózhna kurit'] Can I smoke here?

Здесь нельзя́ кури́ть. [zdes' nel'ziá kurit'] It`s not allowed to smoke here.

Где мо́жно купи́ть...? [gdie mózhna kupit'] Where can I buy...?

Где мо́жно посмот- [gdie mózhna pasma- Where can I see...?
ре́ть...? triet']

 Диало́ги

1. – Скажи́те, пожа́луйста, где мо́жно купи́ть ру́сско-англи́йс-
   кий слова́рь?
   – Ви́дите, там магази́н? Я ду́маю, там есть. (Do you see the
   shop over there? I think, they have it...)
   – Вы не зна́ете, там мо́жно купи́ть план Москвы́?
   – Коне́чно, мо́жно. Э́то хоро́ший большо́й магази́н, и там
   мо́жно мно́го купи́ть.
   – Спаси́бо.
   – Пожа́луйста.

2. – Извини́те, здесь мо́жно кури́ть?
   – Нет, в метро́ и в тра́нспорте нельзя́ кури́ть.
   – А где ещё нельзя́ кури́ть?
   – В теа́тре, в музе́е, в магази́не... и там, где есть ма́ленькие
   де́ти.
   – Да-да, я понима́ю.

3. – Сейча́с по телеви́зору идёт о́чень интере́сный фильм. Мо́жно
   посмотре́ть?
   – Нет, нельзя́. Сейча́с уро́к, а пото́м мо́жно смотре́ть фильм,
   слу́шать му́зыку, чита́ть... – де́лать всё, что хо́чешь.

4. – Ма́ма, мо́жно взять шокола́д?
   – Нельзя́, **доченька** (my little daughter). Сейча́с мы должны́
   обе́дать.

- **Скажи́те, пожа́луйста.**

1. До́ма мо́жно кури́ть?
2. В кла́ссе мо́жно кури́ть?
3. Где мо́жно кури́ть?
4. Где нельзя́ кури́ть?
5. Где мо́жно посмотре́ть но́вый фильм?
6. В Аме́рике мо́жно купи́ть ру́сскую маши́ну?
7. В Росси́и мо́жно купи́ть америка́нскую маши́ну?
8. Где мо́жно хорошо́ пообе́дать?
9. Где мо́жно купи́ть сувени́ры?
10. Когда́ мо́жно слу́шать му́зыку?

 Текст

У меня́ есть дочь. Её зову́т На́стя. На́стя – ма́ленькая симпати́чная де́вочка. Она́ ещё (still) пло́хо говори́т, но всё понима́ет. Но она́ не лю́бит сло́во «нельзя́» и не хо́чет понима́ть его́. Я говорю́: «Нельзя́ есть мно́го шокола́да». На́стя не понима́ет и говори́т: «Мо́жно». Де́душка говори́т: «Нельзя́ смотре́ть телеви́зор, ты должна́ спать». А На́стя говори́т: «Мо́жно! Я хочу́»... Скажи́те, пожа́луйста, что де́лать?

ОБЗО́РНАЯ СТРАНИ́ЦА

REVIEW PAGE

By now you know the following Russian questions and answers:

1. What = which? And the ending of the question-word and ajectives depends on gender of nouns:

Како́й дом? – большо́й. Кака́я маши́на? – больша́я. Како́е кафе́? – большо́е.

2. Whose? Чей это дом? – **Мой**. **Чья** маши́на? – **Моя**. **Чьё** кольцо́? – **Моё**.

3. **Do you have... (a car)? – Yes, I have...(a car) – No, I have no...(car)**
   – У вас е́сть маши́на?
   – Да, есть. (Да, у меня́ есть маши́на.)
   – Нет. (Нет, у меня́ нет маши́ны.)
4. **Is there... in...? – Is there snow in Florida?**
   Во Флори́де есть снег?
5. **It is possible ≠ It is forbidden + inf.**
   Мо́жно ≠ нельзя́ + **что де́лать?**
   May I have a look? – Мо́жно посмотре́ть?
   It is forbidden to smoke here! – Здесь нельзя́ кури́ть!

ПРА́КТИКА

- **a) You want to ask some questions... Try to translate them into Russian:**
1. What is the city – Moscow?
2. Is there a subway in Moscow? And in St.-Petersburg?
3. What is this street?
4. Whose is this boy?
5. Whose is this girl?
6. Do you have children?
7. Is it possible to watch TV here?
8. Do you have a map of Moscow?

- **b) Choose the right answer and put it after questions from group a):**
1. Э́то на́ша де́вочка.
2. Да, здесь мо́жно смотре́ть телеви́зор.
3. Москва́ – большо́й, ста́рый и краси́вый го́род.
4. Э́то мой ма́льчик. Э́то мой сын.
5. Нет.
6. Да, в Москве́ и Петербу́рге есть метро́.
7. Да, есть. Пожа́луйста.
8. Э́то у́лица Арба́т.

- **Answer the questions of Russian people. Try to compose the dialogue.**

Как вас зову́т?

Кто вы?

Отку́да вы?

Где вы живёте и рабо́таете?

Како́й ваш го́род? Кака́я ва́ша страна́?

У вас е́сть роди́тели (ма́ма и па́па)?

У вас е́сть ста́рший (elder) и́ли мла́дший (younger) брат?

У вас е́сть ста́ршая и́ли мла́дшая сестра́?

У вас е́сть де́ти?

У вас е́сть дом, рабо́та?

Вы обе́даете до́ма и́ли в рестора́не?

Вы лю́бите обе́дать в рестора́не?

Когда́ вы обе́даете и́ли у́жинаете в рестора́не?

Когда́ вы смо́трите телеви́зор?

Вы лю́бите слу́шать класси́ческую му́зыку?

Что вы де́лаете в воскресе́нье?

Вы хоти́те знать ру́сский язы́к (Russian language)?

Что вы хоти́те посмотре́ть в Росси́и?

Каки́е сувени́ры вы хоти́те купи́ть в Росси́и?

Текст

Я не говорю́ по-ру́сски хорошо́. Что де́лать? Я до́лжен мно́го говори́ть и мно́го слу́шать, как говоря́т ру́сские.

А они́ говоря́т о́чень бы́стро (fast), сли́шком бы́стро! И я не понима́ю.

Тогда́ (then) я говорю́: «Извини́те, я не понима́ю! Ме́дленно, пожа́луйста!» (Slow down)

Они́ говоря́т ме́дленно, но я опя́ть (again) не понима́ю! И я говорю́: «Ещё раз, пожа́луйста!» (again or once more) Они́ говоря́т ещё раз, и я чуть-чуть (=немно́го) понима́ю.

64

Хорошо́, когда́ ты мо́жешь понима́ть и говори́ть по-
ру́сски!

А вы хорошо́ говори́те по-ру́сски? Вы всё понима́ете? Что
вы говори́те, когда́ не понима́ете? Что вы говори́те, когда́ ру́с-
ские говоря́т сли́шком бы́стро?

СКО́ЛЬКО ВАМ ЛЕТ?
HOW OLD ARE YOU?

– **Ско́лько вам лет?** [skól'ka vam let]	– How old are you?
– Мне 20 лет. [mnie dvátsat' let]	– I am 20 years old.
1 год, 2–4 го́да, 5–20 лет.	

**As you see in the frame We translate into Russian subject
You and I as: You – *вам* and I – *мне*. So, in this construction we
use Dative Case.**

ДА́ТЕЛЬНЫЙ ПАДЕ́Ж
DATIVE CASE – ADDRESS OF THE ACTION

	Singular			Plural
	masc.	neut.	fem.	
Noun *кому́?* *чему́?*	-у, -ю студе́нту секретарю́ журна́лу	-у, -ю окну́ мо́рю	-е, -и студе́нтке газе́те до́чери	-ам, -ям студе́нтам секретаря́м о́кнам дочеря́м
Pronoun *кому́?* *чему́?*	мне, тебе́ ему́	ему́	мне, тебе́ ей	нам, вам им
Poss. Pron.	*чьему́?* моему́, твоему́ на́шему, ва́шему его́		*чьей?* мое́й, твое́й на́шей, ва́шей её	*чьим?* мои́м, твои́м на́шим, ва́шим их

	Singular			Plural
	masc.	neut.	fem.	
Adjective	*како́му?*		*како́й?*	*каки́м?*
	-ому, -ему		ой, -ей	-ым, им
	большо́му		большо́й	больши́м
	но́вому		но́вой	но́вым
	хоро́шему		хоро́шей	хоро́шим

На́шему но́вому студе́нту 20 лет, а на́шей но́вой студе́нтке 18 лет.

ПРА́КТИКА

• **Скажи́те, пожа́луйста.**

1. Ско́лько вам лет?
2. Ско́лько лет ва́шему па́пе?
3. Ско́лько лет ва́шей ма́ме?
4. Ско́лько лет ва́шему мла́дшему и́ли ста́ршему бра́ту?
5. Ско́лько лет ва́шей мла́дшей и́ли ста́ршей сестре́?
6. Ско́лько лет ва́шему сы́ну?
7. Ско́лько лет ва́шей до́чери?
8. Ско́лько лет ва́шему му́жу?
9. Ско́лько лет ва́шей же́не?
10. Ско́лько лет ва́шим ба́бушке и де́душке?

We also use Dative Case in the following situations:

a) 1. Помоги́(те) мне...   help **me**...
2. Да́йте **мне**...   give **me**...
3. Скажи́те **мне**...   tell **me**...
4. Не меша́йте **мне**!   Don`t disturb **me**!

b) 1. **Мне** хо́лодно.   I am cold.
2. **Мне** жа́рко.   I am hot.
3. **Мне** пло́хо.   I feel bad.

And if we want to ask a question *Are you all right?*, in Russian it sounds like *Are you bad?*: Вам пло́хо?

c) 1. **Мне** ну́жно идти́...   I need to go...
2. **Мне** ну́жно купи́ть (сувени́ры).   I need to buy...(souvenirs).
3. **Мне** нельзя́...(кури́ть).   I am not allowed...(to smoke).
4. **Мне** мо́жно войти́?   May I come in?

d) Мне **ну́жно** (на́до) идти́.   to go... (+inf)
I need
Мне **ну́жен** компью́тер.   a computer (**masc.**).
Мне **нужна́** програ́мма.   a program (**fem.**).
Мне **ну́жно** такси́.   a taxi (**neut.**).
Мне **нужны́** де́ньги.   money (**pl.**).

читать.   to read (+ inf).
e) Мне нра́вится   I like
[mnie nráveetsa] ру́сская му́зыка.   Russian music (+noun in Nom. Case).

Диало́ги

1. – Не меша́йте мне, пожа́луйста, смотре́ть телеви́зор. Там о́чень интере́сный фильм!
   – Извини́те. Я не знал, что вам нра́вится америка́нское кино́.

2. – Мне хо́лодно. Да́йте, пожа́луйста, сви́тер.
   – Вот, пожа́луйста. Сейча́с тепло́? (warm)
   – Да, сейча́с мне о́чень хорошо́, тёпло. И мне нра́вится ваш сви́тер. Где вы его́ купи́ли?
   – В Москве́. Я ду́маю, вам то́же ну́жно купи́ть сви́тер: сейча́с здесь хо́лодно.
   – Да, коне́чно. Помоги́те мне за́втра купи́ть сви́тер и сувени́ры ма́ме, па́пе, бра́ту.

– С удово́льствием! [sudavól'stviyem] (with pleasure!) Я зна́ю хоро́шие магази́ны в це́нтре Москвы́. За́втра у́тром, часо́в в 9 и́ли 10 мо́жно э́то сде́лать.

– Хорошо́. Мо́жно в 9 и́ли в 8.30? У меня́ бу́дет уро́к в 10 часо́в.

– Да, коне́чно. Как вы хоти́те... (Yes, of course. As you like...)

– Спаси́бо большо́е! За́втра в 8.30 на ста́нции метро́ «Театра́льная».

– До свида́ния!

– До за́втра!

3. – Тебе́ нра́вится рок-му́зыка?

– Да, ничего́. Мне нра́вится рок-му́зыка, но я люблю́ джаз.

МЕ́СЯЦЫ
MONTHS

1 год – э́то 12 ме́сяцев		Когда́? (Prepositional case)	
янва́рь	[yenvár']	в январе́	[vyenvarié]
февра́ль	[f'evrál]	в феврале́	[ffevralié]
март	[mart]	в ма́рте	[vmárti]
апре́ль	[apr'él]	в апре́ле	[vapriéli]
май	[may]	в ма́е	[vmáye]
и́юнь	[iyún']	в ию́не	[veyúni]
и́юль	[iyul']	в ию́ле	[veyúl'i]
а́вгуст	[ávgust]	в а́вгусте	[vávgusti]
сентя́брь	[s'entiábyr]	в сентябре́	[vsentebrié]
октя́брь	[aktiábyr]	в октябре́	[vaktebrié]
ноя́брь	[nayábyr]	в ноябре́	[vnayebrié]
дека́брь	[d'ekábyr]	в декабре́	[vdiekabrié]

Сейча́с март. В апре́ле мой день рожде́ния.

Како́й сейча́с ме́сяц? – Ию́нь. А когда́ бу́дет экза́мен? – В ию́не.

- **Скажи́те, пожа́луйста.**
1. Когда́ ваш день рожде́ния? [dien' razhdéniya] (birthday)
2. Когда́ у ва́шего дру́га день рожде́ния?
3. Когда́ в Москве́ хо́лодно?
4. Когда́ Но́вый год?
5. В ва́шей стране́ в январе́ хо́лодно?
6. В ма́е тепло́?
7. В Росси́и в декабре́ есть снег? (snow)

 Диало́ги

1. – Когда́ у вас экза́мен?
   – В ию́не.
2. – А́нна, в январе́ в Москве́ хо́лодно?
   – Да. У нас о́чень хо́лодно в январе́.

3. – Ви́ктор, скажи́, пожа́луйста, каки́е **сезо́ны** есть в Росси́и?
   – У нас 4 (четы́ре) сезо́на: дека́брь, янва́рь и февра́ль – э́то **зима́**; март, апре́ль, май – э́то **весна́**; ию́нь, ию́ль, а́вгуст – э́то **ле́то**; сентя́брь, октя́брь, ноя́брь – э́то **о́сень**.

ИМПЕРАТИ́В
IMPERATIVE FORM

You already know that we can use in Russian the following Imperative constructions: *Да́йте мне, пожа́луйста..., Скажи́те (мне), пожа́луйста... Give me please..., Tell me please...*

So, in Russian we use Imperative in two forms – singular and plural. And we do the next:

1. Put the verb in the second person position:
Ты чита́ешь, рабо́та́ешь, слу́шаешь...
Ты говори́шь, живёшь, ку́пишь, смо́тришь...

2. As You see, the ending of the second person may be after vowel: *рабóтаешь* or after consonant: *смóтришь*...

3. For Imperative form instead of endings of the second person conjugation we add:

читá + Й (sing.) + ЙТЕ (pl.)	говор + И (sing.) + ИТЕ (pl.)
слýша + Й + ЙТЕ after vowel	жив + И + ИТЕ after consonant

Compare:

Мáма, смотрú, какáя красúвая машúна!
Дéти, смотрúте, какáя красúвая машúна!
Скажúте, пожáлуйста, скóлько врéмени? (formal)
Мáльчик, скажú, пожáлуйста, скóлько врéмени?

 Диалóги

1. – Мáма, **купú** мне морóженое!
– Нет, дóченька, сейчáс хóлодно.

2. – Дéти, **купúте** сегóдня хлеб!
– У нас нет врéмени, мáма. **Купú** самá.

3. – Папá, **дай** мне дéньги на кинó.
– Хорошó. Вот тебé 10 рублéй.

4. – **Дáйте**, пожáлуйста, ваш телефóн.
– Пожáлуйста, **пишúте**: 123-56-78.

5. – Дéдушка, **смотрú**, там парк. Пойдём в парк!
– Хорошó. Но снáчала **сдéлай** урóки.

6. – **Посмотрúте**, как здесь красúво!
– Да, здесь мóжно хорошó отдохнýть.

7. – Здрáвствуйте, как я рáд(а), что вы пришли́! **Проходúте, садúтесь, посмотрúте** нóвые газéты и журнáлы, а я приготóвлю что-нибýдь попúть. Что вы хотúте?
– Мне, пожáлуйста чай. и немнóго сáхара. (Hello, I am glad, that you came! Come in, have a seat, look newspapers and magazins, and I'll cook some drinks...)

ПРОШЕ́ДШЕЕ ВРЕ́МЯ

PAST INDEFINITE TENSE

The form of the Russian verb in the Past Tense depends on the gender of the subject and exists in the singular and the plural form.

Verbs in the Past Tense are formed by adding suffix -л- instead of the ending -ть in the infinitive form plus the ending of gender:

		он	она́	оно́	они́
знать⟶	зна + Л	знаЛ	зна́Ла	зна́Ло	зна́Ли
жить ⟶	жи + Л	жиЛ	жиЛа́	жи́Ло	жи́Ли

Attention, please:

1. Some Russian verbs have irregular form of the Past Tense. Here we give you only three of them:

Он мог, она́ могла́, они́ могли́.	He, she, they **could.**
Он шёл, она́ шла, они́ шли.	He (she, it, they) **was going.**
Он у́мер, она́ умерла́, они́ у́мерли.	He (she, it, they) **died.**

2. The construction *I had...* (*a brother, sister...*) we translate into Russian with the verb *быть*, using it in the Past Tense:

У меня́ был брат. У меня́ была́ сестра́.

3. The construction *I had no...* (*brother, sister...*) we translate into Russian with the verb *не́ было*:

У меня́ не́ было бра́та. У меня́ не́ было сестры́.

4. Such constructions as *I was twenty years old...* or *I was cold* ... etc. we translate into Russian with the verb *бы́ло*:

Мне **бы́ло** два́дцать лет. Мне **бы́ло** хо́лодно.

ПРА́КТИКА

● **Чита́йте.**

Сего́дня Анто́н рабо́тает, и вчера́ он рабо́тал. Ра́ньше Ни́на рабо́тала в шко́ле, а сейча́с она́ рабо́тает в университе́те. Сего́дня понеде́льник – мы рабо́таем, а вчера́, в воскресе́нье, мы не рабо́тали, мы бы́ли в кино́, обе́дали в рестора́не.

● **Скажи́те, пожа́луйста.**

1. Вчера́ вы смотре́ли телеви́зор?
2. Вы за́втракали сего́дня у́тром?
3. Вчера́ ве́чером вы слу́шали хоро́шую му́зыку?
4. Где вы жи́ли ра́ньше и где живёте сейча́с?
5. Где вы рабо́тали ра́ньше и где рабо́таете сейча́с?
6. Когда́ вы купи́ли проду́кты?
7. Кому́ вы купи́ли ру́сские сувени́ры?
8. Что вы де́лали вчера́ ве́чером?
9. Вчера́ вам бы́ло хо́лодно?
10. Ско́лько вам бы́ло лет 3 го́да наза́д? (How old You were three years ago?) 5 лет наза́д?

 Диало́ги

1. – Ма́ша, ты купи́ла фру́кты?
– Да. Я всё купи́ла сего́дня у́тром.
– Как у́тром? Ты сего́дня не рабо́тала?
– Рабо́тала, но могла́ э́то сде́лать.

2. – Ива́н, что вы де́лали вчера́?
– **Ничего́ не де́лал**: чита́л, смотре́л ви́део.
– А в рестора́не не́ бы́ли?
– Нет, не́ был. Я хоте́л быть до́ма...

3. – Вчера́ я хоте́л купи́ть но́вый при́нтер, но у меня́ не́ было де́нег. У тебя́ есть де́ньги? Ты мо́жешь дать мне 200 (две́сти) рубле́й?

– К сожале́нию, у меня́ то́лько 100 (сто) рубле́й. Хо́чешь?

– Нет, спаси́бо. Я не зна́ю, кто мо́жет дать ещё сто. Ду́маю, я куплю́ при́нтер пото́м.

БУ́ДУЩЕЕ ВРЕ́МЯ
FUTURE INDEFINITE TENSE

We put the verb *быть* **according to the person plus the infinitive:**

Я бу́ду		I	
Ты бу́дешь		You	
Он, она́, оно́ бу́дет	+ рабо́тать, чита́ть...	He, She, It	+ will work, read... etc.
Мы бу́дем		We	
Вы бу́дете		You	
Они́ бу́дут		They	

ПРА́КТИКА

1. За́втра я бу́ду рабо́тать, а моя́ жена́ не бу́дет рабо́тать.
2. Сего́дня ве́чером я бу́ду смотре́ть телеви́зор. А вы?
3. В суббо́ту мы бу́дем обе́дать в рестора́не, а у́жинать мы бу́дем до́ма.
4. Па́па дал мне де́ньги, и за́втра у меня́ бу́дет но́вый компью́тер!
5. Сего́дня мне 19 (девятна́дцать) лет, а за́втра у меня́ бу́дет день рожде́ния, и мне бу́дет 20 (два́дцать) лет.
6. Сейча́с тепло́, но ве́чером, говоря́т, бу́дет хо́лодно.
7. Когда́ я бу́ду рабо́тать, у меня́ бу́дет дом, маши́на.
8. За́втра воскресе́нье, и мой ма́ма и па́па не бу́дут рабо́тать.
9. Я до́лжен рабо́тать, и у меня́ не бу́дет вре́мени посмотре́ть телеви́зор сего́дня ве́чером.

● **Скажи́те, пожа́луйста.**

1. Вы будете до́ма за́втра ве́чером?
2. Вы будете рабо́тать в воскресе́нье? А в четве́рг?
3. Что вы бу́дете де́лать в суббо́ту?
4. У вас будет вре́мя посмотре́ть телеви́зор сего́дня ве́чером?

5. Вы бу́дете гото́вить у́жин сего́дня ве́чером?

6. Ва́ши роди́тели бу́дут обе́дать в рестора́не в воскресе́нье?

ГЛАГО́ЛЫ ДВИЖЕ́НИЯ
VERBS OF MOTION

There is a special group of verbs in Russian that expresses movement or transportation from one point to another: walking, riding, driving, carring... ets. Here we'll take only two meanings – walking and riding:

Unidirectional motion – Гру́ппа I	Multidirectional motion – Гру́ппа II
идти́ [eettée] 🚶----→	**ходи́ть** [hadit'] – to go/come (by foot)
Present Ind. Tense	
Я иду́ Мы идём Ты идёшь Вы идёте Он(а́) идёт Они́ иду́т	Я хожу́ Мы хо́дим Ты хо́дишь Вы хо́дите Он(а́) хо́дит Они́ хо́дят
Past Ind. Tense	
Он шёл, она́ шла, они́ шли	Он ходи́л, она́ ходи́ла, они́ ходи́ли
е́хать [yehat'] 🚗----→	**е́здить** [yezdit'] – to go/come (by vehicle)
Present Ind. Tense	
Я е́ду Мы е́дем Ты е́дешь Вы е́дете Он(а́) е́дет Они́ е́дут	Я е́зжу Мы е́здим Ты е́здишь Вы е́здите Он(а́) е́здит Они́ е́здят
Past Ind. Tense	
Он е́хал, она́ е́хала, они́ е́хали	Он е́здил, она́ е́здила, они́ е́здили

What is the difference between group № 1 and group № 2 ?
– Verbs of gr. № 1 – *идти́, е́хать...–* **mean: "to move only in one direction".**

Verbs of gr. № 2 – *ходи́ть, е́здить* – **mean: "to walk," "to move in many directions" or to do the motion periodically – if**

you mean that you move in one direction every day, offen, sometimes... – not only one time.

Look at the next tables with verbs of motion:

UNIDIRECTIONAL VERBS

inf.	идти́	е́хать	вести́	нести́	лете́ть	бежа́ть	плыть	везти́
Я	иду́	еду́	веду́	несу́	лечу́	бегу́	плыву́	везу́
Ты	идёшь	е́дешь	ведёшь	несёшь	лети́шь	бежи́шь	плывёшь	везёшь
Он(а́)	идёт	е́дет	ведёт	несёт	лети́т	бежи́т	плывёт	везёт
Мы	идём	е́дем	ведём	несём	лети́м	бежи́м	плывём	везём
Вы	идёте	е́дете	ведёте	несёте	лети́те	бежи́те	плывёте	везёте
Они́	иду́т	е́дут	веду́т	несу́т	летя́т	бегу́т	плыву́т	везу́т
Он	шёл	е́хал	вёл	нёс	лете́л	бежа́л	плыл	вёз
Она́	шла	е́хала	вела́	несла́	лете́ла	бежа́ла	плыла́	везла́
Они́	шли	е́хали	вели́	несли́	лете́ли	бежа́ли	плы́ли	везли́
imp.	иди́!	езжа́й!	веди́!	неси́!	лети́!	беги́!	плыви́!	вези́!

MULTIDIRECTIONAL VERBS

inf.	ходи́ть	е́здить	води́ть	носи́ть	лета́ть	бе́гать	пла́вать	вози́ть
Я	хожу́	е́зжу	вожу́	ношу́	лета́ю	бе́гаю	пла́ваю	вожу́
Ты	хо́дишь	е́здишь	во́дишь	но́сишь	лета́ешь	бе́гаешь	пла́ваешь	во́зишь
Он(а́)	хо́дит	е́здит	во́дит	но́сит	лета́ет	бе́гает	пла́вает	во́зит
Мы	хо́дим	е́здим	во́дим	но́сим	лета́ем	бе́гаем	пла́ваем	во́зим
Вы	хо́дите	е́здите	во́дите	но́сите	лета́ете	бе́гаете	пла́ваете	во́зите
Они́	хо́дят	е́здят	во́дят	но́сят	лета́ют	бе́гают	пла́вают	во́зят
Он	ходи́л	е́здил	води́л	носи́л	лета́л	бе́гал	пла́вал	вози́л
Она́	ходи́ла	е́здила	води́ла	носи́ла	лета́ла	бе́гала	пла́вала	вози́ла
Они́	ходи́ли	е́здили	води́ли	носи́ли	лета́ли	бе́гали	пла́вали	вози́ли
imp.	ходи́!	е́зди!	води́!	носи́!	лета́й!	бе́гай!	пла́вай!	вози́!

всегда́ [fsegdá]	always	никогда́ [nikagdá]	never
ча́сто [chásta]	often	ре́дко [rétka]	seldom
иногда́ [inagdá]	some-times	мно́го раз [mnóga ras]	many times
не́сколько раз	[niéskal'ka ras]	several times		
обы́чно [abýchna]	usually	ка́ждый день	[kazhdyĭ den']	every day

Memorize!

If we use one of these words, we need to say only Multidirectional Verb of motion after.

ОТКУ́ДА ≠ **КУДА́?**

WHERE FROM? WHERE?

Verbs of motion mean the movement from one point (from where?) to another (where?). And you meet here two new questions:

Отку́да? (**but you met it before** – *Отку́да вы?*) and *Куда́?* (**This questions means only the direction of the movement!**) **Answering this questions we use words with next prepositions:**

Отку́да?			Куда́?		
from inside	из	+ **Gen. c.**	to inside	в	+ **Acc. c.**
down from	с		on	на	

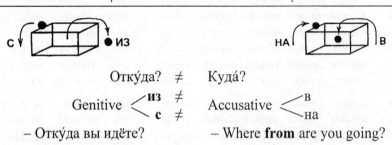

Отку́да? ≠ Куда́?

Genitive < из ≠   Accusative < в
         с ≠   на

– Отку́да вы идёте? — Where **from** are you going?

– Я иду́ **из** шко́лы, **с** у́лицы... – I am going **from** the school, **from** the street...

– **Куда́** вы идёте?   – **Where** are you going?
– Я иду́ **в** шко́лу, **на** у́лицу...   – I am going **to** school, to the street...

Memorize!

Sometimes, answering the question *Куда́?* we use words which mean any kind of event or process, but not location:
Я иду́ **на у́рок, на обе́д, на конце́рт**...и т.д.
I am going *to the lesson, to the dinner, to the concert...* etc. In this case in Russian we put preposition *на*.

ПРА́КТИКА

1. Сейча́с я **иду́** *в* парк. – Я **ча́сто хожу́** *в* парк.
2. Сейча́с я **е́ду** *в* магази́н. – Я **ча́сто е́зжу** *в* магази́н.
3. Сего́дня мы **идём** *на* у́рок. – Мы **ка́ждый день хо́дим** *на* у́рок.
4. Сего́дня мы **е́дем** *в* рестора́н на обе́д. – Мы **ка́ждое вос-кресе́нье е́здим** *в* рестора́н на обе́д.
5. Мои́ роди́тели **иду́т** *в* теа́тр *на* о́перу. – Они́ **ре́дко хо́дят** *в* теа́тр *на* о́перу.

- **Скажи́те, пожа́луйста.**

1. Сего́дня вы идёте в рестора́н?
2. Вы ча́сто хо́дите в рестора́н?
3. Куда́ вы е́здите (хо́дите) ка́ждый день?
4. Куда́ вы обы́чно (е́здите) в воскресе́нье?

К КОМУ́? Dat.		ОТ КОГО́? Gen.
TO WHOM?	≠	FROM WHOM?

If we say in English: *I am going to my brother* or *I am going from my brother.*
In Russian it will be:

Я иду́ **к** бра́ту *или* Я иду́ **от** бра́та.

| Я иду́ | < | отку́да?
от кого́? | I am coming | < | from wher?
from whom? |
| Я иду́ | < | куда́?
к кому́? | I am going | < | where?
to whom? |

ПРА́КТИКА

1. Я иду́ в университе́т к профе́ссору. – Я ка́ждый вто́рник хожу́ в университе́т к профе́ссору.
2. Сего́дня мы е́дем в Москву́ к сестре́. – Мы ка́ждый год е́здим в Москву́ к сестре́.
3. Сейча́с мой друг идёт ко мне. – Он ча́сто хо́дит ко мне.
4. На́ши друзья́ е́дут к нам. – Они́ не о́чень ча́сто е́здят к нам.

ТРА́НСПОРТ В РОССИ́И, В ГО́РОДЕ

авто́бус, тролле́йбус, трамва́й, метро́, такси́, маши́на

е́хать... е́здить	To go by vehicle
на маши́не	by car
на такси́	by taxi
на метро́	by metro
на авто́бусе	by bus
на тролле́йбусе	by trolleybus
на трамва́е	by tram
на по́езде	by train

Я всегда́ е́зжу в университе́т на метро́, а мой брат е́здит на авто́бусе.

Обы́чно мы е́здим на рабо́ту на авто́бусе, но сего́дня мы е́хали на такси́.

Я люблю́ е́здить на маши́не, но у меня́ нет маши́ны, и я е́зжу на метро́.

VERY USEFUL WORDS

Я пойду́ [ya paydú]   (by foot) I will go.
Я пое́ду [ya payédu]   by vehicle
Пойдём! (пошли́) [paydióm! (pashlí)] Let`s go

(Поéдем) поéхали! [payédem] paékhali!	Let`s go
Как доéхать до... (цéнтра)? [kak doekhat' do ... (tséntra)]	How can I get the to... (the center)?
Я хочý поéхать в ... (Россúю). [Ya khachú payékhat' v (Rassíyu)]	I want to go...(to Russia).

Диалóги

1. – Тáня, что ты бýдешь дéлать вéчером?
   – Не знáю...А что?..
   – Пойдём в кино?
   – С удовóльствием!
   – Хорошó, в 7 часóв мы поéдем в центр.
   – До вéчера!

2. – Мáша, пойдём вéчером в кинó?
   – Извинúте, не могý – я рабóтаю.
   – А зáвтра?
   – Зáвтра мóжно пойтú. Когдá – в семь?
   – Да, в 7 часóв. До зáвтра!
   – До свидáния!

3. – Кудá мы пойдём в воскресéнье? Ты хóчешь поéхать к друзья́м?
   – Нет, поéдем к моемý брáту. Я не вúдел его 2 гóда. (I didn`t see him for...)

VERY USEFUL WORDS

останóвка автóбуса, троллéйбуса, трамвáя [astanófka aftóbusa, tralléybusa, tramváya]	bus, trolleybus, tram **stop**
Скажúте, пожáлуйста, где останóвка автóбуса №5?	
Э́тот автóбус (троллéйбус...) идёт в центр?...	Does this bus (trolléybus...) run downtown?
Какóй автóбус идёт в центр?	
стáнция метрó	Metro station
Скажúте, пожáлуйста, где стáнция метрó?	

Как называется эта станция (улица, этот город...)? [kak nazyváyetsa éta stántseya (úlitsa, état górat...)]	What is the name of this station (street, city...)?
вход [fhot]	Entrance.
Где вход в метро?	Where is the entrance?
Нет входа. Не входить!	No entrance.
выход [výhat]	Exit.
Выход в город. [výhat v górat]	Exit to town.
Нет выхода.	No exit.
Запасный выход.	Emergency exit.
переход [perehót]	
Переход на станцию...	Crosswalk or transfer in the subway.
Вы выходите... (на следующей)?.. [vy vyhódet'e...(na sliédushchey)]	Are you getting off... (next stop)?
Где мне выходить? [gde mne vyhadit']	Where must I get off?
Следующая остановка (станция)... [sliédushchaya astanófka (stántseya)]	Next stop...
Какая следующая остановка (станция)?	What is the next stop?
Извините... или... Разрешите пройти. [razreshét'e praytí]	Pardon me... or... Let me pass.
Осторожно! Двери закрываются, следующая станция... [astarózhna, dvérie zakryváyutsa, sliédushchaya stántseya...]	Careful! The doors are closing, next station is...
Станция («Белорусская»), переход на кольцевую линию... [stántseya (belarúskaya), perehót na kal'tsyvuyu liniyu]	Station... ("Belorooskaya"), transfer to the ring-line...

Я турист из Америки, живу в Москве только 2 (два) дня и сегодня хочу посмотреть город. Говорят, центр Москвы очень красивый. Но как доехать до центра?

– Скажите, пожалуйста, как доехать до центра?

– Можно на автобусе, а можно на метро.

– А что лучше? [luchshe] (And what is better?)

– Не знаю. Если хотите посмотреть улицы – лучше ехать на автобусе. Хотите посмотреть красивые станции метро и сэкономить время – езжайте на метро. (If you want to watch streets, it is better to go by bus. If you want to see beautiful metro stations and safe your time – go by metro.).

– Сколько времени я буду ехать?

– На автобусе – минут 20–25, а на метро – минут 10.

– Интересно! Я сделаю так: в центр поеду на автобусе, а из центра – на метро. Скажите, где здесь остановка автобуса?

– Смотрите! Там красная буква «М» – это станция метро. И там тоже остановка автобуса №89 (восемьдесят девять) – он идёт в центр. Но сначала купите талоны.

– А что это – талоны?

– Талоны – это билеты (tickets) на автобус, троллейбус и трамвай. А на метро нужно купить специальные (special) билеты.

– А где это можно купить?

– Талоны можно купить у водителя (driver), а билет на метро – в кассе метро. Там можно купить и карточку (card) на телефон. Вы только скажите: «Дайте мне билет на 1 (одну) или 2 (две) поездки». (Give me one or two trip ticket.)

– Ох, сколько информации! Спасибо большое! До свидания!

– Пожалуйста. Всего хорошего!

В метро́

Так... Вот ка́сса. «Да́йте, пожа́луйста, би́лет на одну́ поезд-
ку». Ду́маю, сейча́с я пое́ду на метро́, е́сли я здесь. А из це́нтра
пое́ду на авто́бусе. Посмотрю́, что де́лают пассажи́ры, и то́же
бу́ду де́лать так. Но куда́ мне е́хать? Как называ́ется ста́нция?

– Скажи́те, как мне дое́хать до це́нтра?

– Вам на́до е́хать три остано́вки до ста́нции «Театра́льная».

– Спаси́бо. Вот и по́езд идёт!

В по́езде хорошо́, тепло́, чи́сто (clean). Вот ста́нция – что
говори́т ди́ктор? А, понима́ю: «Ста́нция "Тверска́я", перехо́д на
ста́нцию "Че́ховская" и "Пу́шкинская"».

А пото́м ди́ктор говори́т: «Осторо́жно, две́ри закрыва́ются!
Сле́дующая ста́нция "Театра́льная"». О, э́то моя́ ста́нция! Что
мне на́до де́лать? Я говорю́: «Вы выхо́дите?» – «Да-да, выхо-
жу́». Кака́я больша́я ста́нция! И как мно́го люде́й! (So many
people!) Все зна́ют, куда́ на́до идти́ – и то́лько я ничего́ не
зна́ю! Чита́ю: «Вы́ход в го́род и перехо́д на ста́нцию...» – Хо-
рошо́! Понима́ю! Иду́ в го́род!

В це́нтре го́рода

Как здесь краси́во! Вот Большо́й теа́тр – я зна́ю, там мо́жно
посмотре́ть прекра́сный ру́сский бале́т и послу́шать о́перу. Я
хочу́ пойти́ в Большо́й теа́тр в суббо́ту ве́чером.

А сейча́с я пойду́ на Кра́сную пло́щадь. Но где она́?

– Скажи́те, пожа́луйста, как пройти́ на Кра́сную пло́щадь?

– Иди́те пря́мо, а пото́м нале́во.

– Извини́те. Я не понима́ю.

– О, я ду́мал, что вы ру́сский. Вы хорошо́ говори́те по-
ру́сски. Отку́да вы?

– Я из Аме́рики, из Флори́ды.

– Как хорошо́! Там всегда́ тепло́, а в Москве́ сейча́с хо́лод-
но... Да, вам нужна́ Кра́сная пло́щадь. Я скажу́ по-англи́йски:
Go stright, then turn to the left...

– Thank You so much! Ой, нет! Я говорю́ по-ру́сски: «Спа-
си́бо большо́е!»

* * *

Так, на Кра́сной пло́щади был, Кремль посмотре́л, сейча́с ну́жно е́хать в гости́ницу (to the hotel).

– Извини́те, где остано́вка авто́буса № 89?

– Иди́те пря́мо, пото́м ме́тров 20 напра́во. Там остано́вка.

– Спаси́бо. Так, «пря́мо» – я зна́ю, а «напра́во» – ду́маю, to the right... Иду́ напра́во. Да, вот остано́вка, а вот и авто́бус.

В автобусе

– Да́йте, пожа́луйста, оди́н тало́н. Что я сейча́с до́лжен де́лать?

– Возьми́те оди́н тало́н и прокомпости́руйте его́. Не понима́ете? Да́йте мне, я сде́лаю. Вот, пожа́луйста.

– Спаси́бо. А когда́ бу́дет остано́вка «Гости́ница»?

– Не ско́ро (not soon), мину́т че́рез 20. Лу́чше бы́ло е́хать на метро́.

– Да, я понима́ю... Но я хоте́л посмотре́ть го́род, а в метро́ я уже́ был.

– А-аа, коне́чно. Ну, ничего́: 20 мину́т – немно́го. Я скажу́, когда́ вам ну́жно выходи́ть.

– Спаси́бо!

Ох, како́й большо́й го́род – Москва́! Как мно́го люде́й, маши́н! Каки́е больши́е у́лицы!

И как я уста́л! (And I am so tired!) Но мне здесь нра́вится! И за́втра я опя́ть пое́ду смотре́ть го́род, пойду́ в музе́й, а пото́м поу́жинаю в рестора́не.

● **Скажи́те, пожа́луйста.**

1. Где был тури́ст?

2. Как он е́хал в центр и из це́нтра?

3. Что он смотре́л?

4. Что он уже́ зна́ет?

5. Что он хо́чет де́лать за́втра?

6. Ему́ нра́вится Москва́?

7. Он хорошо́ говори́т и понима́ет по-ру́сски?

НЕСОВЕРШЁННЫЙ И СОВЕРШЁННЫЙ ВИД ГЛАГО́ЛА

IMPERFECTIVE AND PERFECTIVE FORM OF VERBS

Most Russian verbs have two separate forms: the imperfective and the perfective aspects. And usually the teacher gives you an aspect pair of any new verb:

Imperfective		Perfective	
де́лать	to be doing	сде́лать	to have done
чита́ть	to be reading	прочита́ть	to have read
покупа́ть	to be buying	купи́ть	to have bought

Many perfective aspect verbs are formed by adding the prefix to the corresponding imperfective aspect verb (*де́лать – сде́лать*). There are many prefixes in Russian. Sometimes, we add suffix (*покупа́ть – купи́ть*), and sometimes, we use another word for perfective aspect (*говори́ть – сказа́ть*).

All forms of the imperfective aspect (the infinitive, the present, past and future tense forms) mean a process, everyday or periodic doing, your action in the system: so, it will be action on going or repeated:

Что ты де́лаешь? – Я чита́ю.

And if we use such words as *ка́ждый every day, always, often*...etc, we use imperfective verbs:

Ка́ждый день я чита́ю газе́ту.

The perfective aspect verbs denote a completed action or result of an action. So, perfective verbs exist only in the past or future tense forms:

Ты прочита́л кни́гу? – Нет, я не прочита́л её, я чита́ю её сейча́с, но́ завтра я прочита́ю её.

You already know how to form Past and Future Indefinite Tense. Verbs in the Past Perfect Tense have the same suffix *-л-* plus ending according to gender: *-а, -о, -и*...

Verbs in the Future Perfect Tense are conjugated like in Present Indefinite Tense...

Compare:

Present Ind. Tense	Future Perfect Tense
Я **чита́ю** I am reading	Я **прочита́ю** I will have read
Он **чита́ет** He is reading	Он **прочита́ет** He will have read
Мы **чита́ем** We are reading	Мы **прочита́ем** We will have read

Imperfective aspect (action on going or repeated)	Perfective aspect (result or completed action)
Infinitive	**Infinitive**
Я хочу́ чита́ть кни́гу.	Я хочу́ прочита́ть кни́гу.
I want to read a book.	I want to finish a book.
Present	**No Present tense**
Я чита́ю кни́гу.	—
I am reading a book.	
Past	**Past**
Вчера́ я чита́л кни́гу.	Я прочита́л кни́гу.
Yesterday I was reading a book.	I finished the book.
Future	**Future**
Я бу́ду чита́ть кни́гу.	Я прочита́ю кни́гу.
I will be reading a book.	I will finish the book.

 Диало́ги

1. – Что ты де́лаешь?
   – Чита́ю кни́гу.
   – Когда́ прочита́ешь, дай мне.
   – Хорошо́, за́втра дам.

2. – Ты купи́ла проду́кты?
   – Нет ещё, я рабо́таю.
   – А ве́чером ку́пишь?
   – Коне́чно куплю́.

3. – Когда́ вы пое́дете в Москву́?

– Во вто́рник.

– Вы уже́ купи́ли биле́ты?

– Сего́дня пое́ду покупа́ть. Куплю́ биле́ты **туда́ и обра́тно**. (round trip)

4. – Вы пое́дете в Петербу́рг на по́езде?

– Да.

– Ско́лько часо́в вы бу́дете е́хать?

– Мы бу́дем е́хать 8 часо́в – всю ночь. Но я бу́ду спать.

5. – Что вы де́лали вчера́?

– Смотре́ли но́вый фильм.

– А я уже́ посмотре́л.

6. – Мне ну́жно в центр. Где мне выходи́ть?

– Ещё не ско́ро. Я скажу́, когда́ на́до выходи́ть.

– Спаси́бо.

7. – Что вы бу́дете де́лать за́втра?

– Мы бу́дем рабо́тать, а пото́м хоти́м пойти́ в рестора́н. Пойдём с на́ми?

– С удово́льствием!

8. – Ве́чером ты бу́дешь до́ма?

– Да, я не хочу́ никуда́ идти́.

– У меня́ есть биле́ты в теа́тр. Пойдём?

– Извини́, не могу́. О́чень уста́ла.

9. – У тебя́ есть пла́ны на суббо́ту?

– Нет ещё.

– Пойдём в кино́?

– Не зна́ю. Я скажу́ тебе́ за́втра.

10. – Нам ну́жно мно́го сде́лать, а вре́мени нет!

– Ничего́, я помогу́. Что на́до сде́лать?

– Купи́ проду́кты и пригото́вь у́жин...

ОБЗО́РНАЯ СТРАНИ́ЦА
REWIEW PAGE

By now you know the following Russian questions and answers.

1. – Ско́лько вам лет?

– Мне два́дцать лет.

– How old are you?

– I am twenty years old...

2. – Что вам **ну́жно**?　　　　– What do you need?

　– Мне **ну́жен** журна́л, ну-　– I need the magazine, newspaper...
　жна́ газе́та...

3. – Вам хо́лодно?　　　　　– Are you cold?

　– Нет, мне хорошо́...　　　– No, I am all right...

4. – Вам нра́вится...?　　　　– Do you like...?

　– Да, мне нра́вится...　　　– Yes, I like it...

You know the Imperative form of the Russian verb:

Да́й(те) мне...　　　　　　Give me...

Слу́шай(те)...　　　　　　　Listen... etc.

And at last you know all the forms and tenses of the Russian verbs...

● **Using this text as a model, tell, what Viktor did yesterday and what he will do tomorrow:**

Сего́дня Ви́ктор до́ма. Он чита́ет интере́сную кни́гу и слу́шает му́зыку. Он не смо́трит телеви́зор. До́ма тепло́, хорошо́. Ви́ктору интере́сно чита́ть, но он до́лжен пойти́ в магази́н и пригото́вить обе́д. У него́ нет мя́са, карто́шки, молока́, хле́ба... Ему́ ну́жно купи́ть проду́кты.

Вче́ра Ви́ктор...

За́втра Ви́ктор...

Let's try to read the story and then, using this text as model, tell us about yourself and put some questions to your schoolmate...

　　　　　　　　Текст

Я молодо́й челове́к – мне 22 (два́дцать два) го́да. Я рабо́таю в магази́не, а ве́чером я учу́сь (study) в университе́те – мне ну́жно хорошо́ знать би́знес и ма́ркетинг. Я о́чень люблю́ му́зыку и хорошо́ зна́ю класси́ческую му́зыку, но у меня́ нет вре́мени ходи́ть на конце́рты – я до́лжен мно́го рабо́тать. У меня́ есть семья́ – ма́ма, па́па, ста́ршая сестра́ и мла́дший брат.

Мое́й сестре́ 25 (два́дцать пять) лет. Она́ за́мужем (she is married). Сейча́с она́ не рабо́тает, потому́ что [patamúshta] (because) у неё есть ма́ленький сын. Ему́ 2 (два) го́да. Он о́чень симпати́чный ма́льчик, я люблю́ его́.

Моему́ бра́ту 17 (се́мнадцать) лет. Он у́чится (studies) в университе́те. Он хорошо́ зна́ет матема́тику и фи́зику, но он хо́чет быть хоро́шим специали́стом по компью́терам.

Мой оте́ц (father) – банки́р. Ему́ 58 (пятьдеся́т во́семь) лет. Он о́чень мно́го рабо́тает, всегда́ за́нят (busy). Моя́ мать (mother) ра́ньше рабо́тала инжене́ром, а сейча́с не рабо́тает, потому́ что она́ должна́ помога́ть отцу́. Ей 49 (со́рок де́вять) лет. Она́ лю́бит, когда́ мы все (all) до́ма, но мы всегда́ за́няты (busy). Вот и сего́дня ма́ма до́ма одна́, потому́ что оте́ц ещё рабо́тает, я ве́чером учу́сь, брат пошёл в библиоте́ку, а сестра́ здесь не живёт. Но в воскресе́нье мы все пойдём в рестора́н: бу́дем вме́сте (together) обе́дать, мно́го говори́ть.

А вы мо́жете рассказа́ть, что вы де́лаете, что лю́бите, кака́я ва́ша семья́?..

ПОЧЕМУ́? ПОТОМУ́ ЧТО...
WHY? BECAUSE...

– **Почему́** [pachemú] вы не рабо́таете?

– **Потому́ что** [patamúshta] я уста́л (I am tired).

– **Почему́** ты не идёшь в рестора́н?

– **Потому́ что** (у меня́) нет де́нег.

– **Почему́** ты не смо́тришь телеви́зор?

– **Потому́ что** неинтере́сная програ́мма.

– **Почему́** ты не спишь? Уже́ 12 часо́в!

– **Потому́ что** я чита́ю интере́сный журна́л.

 Текст

Ви́ктор – программи́ст. Он рабо́тает в фи́рме. У него́ нет маши́ны, и ка́ждый день он е́здит в фи́рму на метро́. Он до́лжен éхать на рабóту 40 (сóрок) минýт. В метрó Вѝктор читáет нóвую газéту йли нóвый журнáл.

Вчерá Вѝктор купѝл компьюотер. Он дóлжен мнóго рабóтать дóма, и компьюотер óчень нýжен емý.

Зáвтра воскресéнье, и Вѝктор мóжет пойтѝ в клуб йли в теáтр. А мóжет быть (maybe), он пойдёт в кинó на нóвый фильм – он не знáет, что бýдет дéлать зáвтра: он не хóчет éхать на метрó, а машѝны у негó нет.

- **Скажѝте, пожáлуйста.**

1. Почемý Вѝктор éздит на метрó?
2. Почемý он читáет в метрó?
3. Почемý Вѝктор купѝл компьюотер?
4. Почемý он не знáет, что бýдет дéлать зáвтра?

ПОЭ́ТОМУ
THEREFORE

У Вѝктора нет машѝны, **поэ́тому** [paétamu] он éздит на метрó.

Он éдет 40 минýт, **поэ́тому** в метрó он читáет.

Вѝктор дóлжен мнóго рабóтать дóма, **поэ́тому** он купѝл компьюотер.

Зáвтрá воскресéнье, **поэ́тому** Вѝктор мóжет пойтѝ в клуб йли в кинó.

УЧЍТЬСЯ, ЗАНИМÁТЬСЯ
TO STUDY AT

учѝться [uchítsa]	to study at... (school, university...etc.)
занимáться [zanimátsa]	to study (yourself at home, library... etc.)

Here you've met new verbs with the particle -ся, which gives the reflexive meaning to the transitive verbs. The conjugation of

this verbs is according to the group number 1 or 2 plus the particle which has two variant forms: -ся after a consonant (including the soft sign) and -сь after a vowel sound.

учи́ться		занима́ться	
Я учу́сь	Мы у́чимся	Я занима́юсь	Мы занима́емся
Ты у́чишься	Вы у́читесь	Ты занима́ешься	Вы занима́етесь
Он(á) у́чится	Они́ у́чатся	Он(á) занима́ется	Они́ занима́ются

Диало́ги

1. – Где вы у́читесь?
   – Я учу́сь в университе́те.
   – А ваш брат тоже у́чится?↗
   – Да, он у́чится в шко́ле. Пото́м он хо́чет учи́ться в институ́те.

2. – Ско́лько вам лет?
   – Мне 21 (два́дцать оди́н) год.
   – Вы у́читесь или рабо́таете?↗
   – Я рабо́таю. А вы?
   – Я ещё учу́сь в ко́лледже.

3. – Что ты се́годня де́лаешь?
   – Днём я учу́сь, а ве́чером бу́ду занима́ться в библиоте́ке.

4. – Ве́чером ты свобо́ден?
   – К сожале́нию, нет. В сре́ду экза́мен, и я до́лжен мно́го занима́ться.

● **Скажи́те, пожа́луйста.**

1. Вы у́читесь или рабо́таете?↗
2. Где вы у́читесь (рабо́таете)?
3. Где вы учи́лись ра́ньше?
4. Вы много занима́етесь?↗
5. Где вы лю́бите занима́ться – до́ма или в библиоте́ке?↗
6. Что де́лают ва́ши друзья́ – у́чатся или рабо́тают?
7. Где они́ у́чатся (рабо́тают)?

УЧИ́ТЬ, ИЗУЧА́ТЬ

TO LEARN, TO STUDY

учи́ть [uchít'] (*кого́? что?*)	to learn (what?) or teach (whom?) + Acc.
изуча́ть [izuchát'] (*кого́? что?*)	to study (what?) + Acc.

Я **изуча́ю** ру́сский язы́к. Ка́ждый день я **учу́** но́вые слова́.

I study Russian. Every day I learn new words.

Моя́ ма́ма учи́тельница. Она́ **у́чит** дете́й в шко́ле.

My mother is a teacher. She teaches children at school.

Я **учу́сь** в университе́те. Там я изуча́ю фи́зику.

I study at the University. I study physics there.

Текст

Встре́ча на у́лице

– Здра́вствуй, Ма́ша. Как ты живёшь, как твой де́ти? Я ду́маю, твой сын уже́ большо́й, ему́ лет 20. Что он де́лает – у́чится и́ли рабо́тает?

– Здра́вствуй, А́нна! О́чень ра́да тебя́ ви́деть! (I am glad to see You!). У меня́ всё хорошо́. Сын Ви́ктор у́чится в университе́те. Ему́ **действи́тельно** 20 лет. А до́чери Ната́ше 17 лет. Она́ у́чится в шко́ле, в 10-м (деся́том) кла́ссе. А пото́м она́ хо́чет учи́ться в университе́те, как Ви́ктор.

– У тебя́ серьёзные де́ти, Ма́ша. Что изуча́ет Ви́ктор?

– О! Он **действи́тельно** серьёзный челове́к: он изуча́ет фи́зику. И я не понима́ю, как он мо́жет учи́ть и знать неинтере́сные фо́рмулы! Но он говори́т, что фи́зика – э́то о́чень интере́сно.

– А Ната́ша? Она́ то́же хо́чет изуча́ть фи́зику, как брат?

– Нет. Она́ лю́бит литерату́ру и иностра́нные языки́ (foreign languages). В шко́ле она́ изуча́ет англи́йский язы́к, но три ра́за в неде́лю занима́ется на ку́рсах – там она́ изуча́ет францу́зский язы́к. Она́ мно́го и серьёзно занима́ется, и я ду́маю, что она́ будет хорошо́ учи́ться в университе́те. А как твой сын, А́нна? Он то́же у́чится? Ско́лько ему́ лет?

– Анто́ну 21 год. К сожале́нию, он пло́хо учи́лся в шко́ле, поэ́тому в университе́т не пошёл. Сейча́с он рабо́тает в автосе́рвисе. У него́ хоро́шая рабо́та, есть де́ньги. Но он понима́ет, что ему́ ну́жен дипло́м специали́ста, поэ́тому занима́ется на ку́рсах программи́стов, а пото́м он хо́чет изуча́ть ме́неджмент и ма́ркетинг. Я не о́чень хорошо́ понима́ю э́ти иностра́нные слова́, но он говори́т, что э́ти профе́ссии о́чень нужны́.

– Я ра́да, Ма́ша, что ви́дела тебя́! Приходи́ в го́сти!

– Спаси́бо, А́нна. Я то́же ра́да была́ тебя́ ви́деть! И ты приходи́ в го́сти. До свида́ния!

– Всего́ хоро́шего!

Э́ТОТ, Э́ТА, Э́ТО, Э́ТИ
THIS ONE, THESE
ТОТ , ТА, ТО, ТЕ
THAT ONE, THOSE

This one	That one
э́тот (дом) [état]	**тот** (дом) [tot]
э́та (у́лица) [éta]	**та** (у́лица) [ta]
э́то (кафе́) [éta]	**то** (кафе́) [to]
э́ти (де́ти) [éti]	**те** (де́ти) [te]

 Диало́ги

1. – Мне нра́вится э́тот дом. Что э́то?
   – Э́то на́ша фи́рма.

   – I like this house. What is this?
   – This is our firm.

2. – Да́йте, пожа́луйста, журна́л.
   – Како́й? Э́тот?
   – Нет-нет, тот.

   – Give me please the magazine.
   – Which one? This one?
   – No that one.

3. – Посмотри́, тебе́ нра́вится э́та де́вушка?

– Э́та? Нет, не о́чень. Мне нра́вится та де́вушка.

4. – Вот фо́то – э́то на́ша семья́: ма́ма, па́па, брат.

– А кто э́тот молодо́й челове́к?

– Э́то мой друг Анто́н.

– Мне нра́вится э́та фотогра́фия – э́ти краси́вые лю́ди, э́тот дом. Э́то ваш дом?

– Да, э́то наш дом. Э́тот дом о́чень ста́рый, но мы лю́бим его́.

О ЧЁМ? О КОМ?
WHAT ABOUT? WHOM ABOUT?

If we want to say "to speak, to tell, to think ... about" In Russian we use these verbs with nouns, pronouns and ajectives in Prepositional Case. You already know it's ending for nouns – it is same as for question Где?: *-е, -и*... **(page 58.)**

Где вы живёте? – В Москве́.
О чём [achóm?] вы ду́маете?
– О Москве́.
Где ты был? – На ле́кции.
О чём ты говори́шь? – О ле́к-ции.

Где вы бы́ли? – В теа́тре.
О чём вы говори́те? – О теа́тре.
О чём э́тот фильм? – О любви́ (about love).

If a word starts with a vowel *а, о, э, и, у*... **we use the preposition** *об*:

О чём вы ду́маете? – Я ду́маю **об** Аме́рике, **об** Орла́ндо, **об** университе́те, *но* **о** Флори́де.

● **Скажи́те, пожа́луйста.**

1. Вы ду́маете о до́ме?
2. Вы говори́те до́ма о рабо́те?
3. Вы мно́го зна́ете о Росси́и?
4. Вы мно́го зна́ете о Москве́?

5. Вы часто ду́маете о семье́?

6. Вам нра́вятся фи́льмы о любви́?

7. Вы чита́ете в газе́те об Аме́рике?

8. Вы чита́ли об университе́те в Москве́?

ПОРЯ́ДКОВЫЕ ЧИСЛИ́ТЕЛЬНЫЕ

ORDINAL NUMBERS

пе́рвый	[piérvyĭ]	first
второ́й	[ftaróy]	second
тре́тий	[triétey]	third
четвёртый	[chetviórtyĭ]	fourth
пя́тый	[piátyi]	fifth
шесто́й	[shestóy]	sixth
седьмо́й	[sied'móy]	seventh
восьмо́й	[vas'móy]	eighth
девя́тый	[dieviátyĭ]	ninth
деся́тый	[diesiátyĭ]	tenth

Како́й э́то уро́к? – Э́то пе́р**вый** у́рок.

Кака́я э́та кни́га? – Э́то пе́р**вая** кни́га.

Како́е э́то ме́сто? – Э́то пе́р**вое** ме́сто.

Каки́е э́то де́ньги? – Э́то пе́р**вые** де́ньги.

– Како́е сего́дня число́? (Date)

– Сего́дня пе́рвое января́.

ПРА́КТИКА

1. 1-й, 11-й, 21-й, 41-й: пе́рвый, оди́ннадцатый, два́дцать пе́рвый, со́рок пе́рвый.

2-й, 12-й, 32-й, 102-й: второ́й, двена́дцатый, три́дцать второ́й, сто второ́й.

4-й, 14-й, 254-й: четвёртый, четы́рнадцатый, две́сти пятьдеся́т четвёртый.

2. – Скажи́те, пожа́луйста, како́й э́то авто́бус?

– Э́то пя́тый авто́бус. (Э́то авто́бус но́мер пять.)

3. – Скажи́те, деся́тый авто́бус идёт в центр?

– Нет. То́лько тре́тий.

4. – Э́то кака́я ле́кция – пе́рвая?

– Нет, э́то уже́ тре́тья ле́кция.

5. У нас хоро́шие биле́ты на конце́рт: второ́й ряд, оди́ннадцатое и двена́дцатое места́ (second row, eleventh and twelfth seats).

6. Сего́дня я пе́рвый раз иду́ на уро́к ру́сского языка́.

7. – Вы в Москве́ пе́рвый раз?

– Нет, я уже́ четвёртый, но ещё пло́хо зна́ю Москву́ – о́чень большо́й го́род.

8. Я чита́ю э́тот текст второ́й раз, но ничего́ не понима́ю.

Ordinal numbers agree with the nouns in case and have the same question and the same endings as ajectives:

Э́то моя́ пе́рв**ая** ру́сск**ая** кни́га. (Nom.) Я купи́л мою́ пе́рв**ую** ру́сск**ую** кни́гу (Acc.) в Москве́.

Я учу́сь в Моско́вском университе́те на второ́м ку́рсе. (Prep.)

На как**о́м** этаже́ вы живёте? – Я живу́ на пя́т**ом** этаже́. (Prep.)

Вчера́ мы говори́ли о пе́рв**ом** ру́сск**ом** космона́вте (astronaut) (Prep.). Ю́рий Гага́рин – пе́рв**ый** ру́сск**ий** космона́вт. (Nom.)

А вы зна́ете, кто пе́рв**ый** америка́нск**ий** астрона́вт? (Nom.)

Я в Москве́ пе́рв**ый** раз, а мой брат уже́ четвёрт**ый**. (Acc.)

На пе́рв**о́м** уро́ке мы изуча́ли ру́сский алфави́т. (Prep. Acc.)

● **Скажи́те, пожа́луйста.**

1. На како́м этаже́ вы живёте?

2. На како́м ку́рсе вы у́читесь?

3. Вы в Росси́и пе́рвый раз?

ОБЗО́РНАЯ СТРАНИ́ЦА
REWIEW PAGE

1. **You already know a question** *Почему́?* (Why?) **and an answer in beginning with word** *Потому́ что...* (Because...):

   Почему́ вы не рабо́таете? – **Потому́ что** сего́дня воскресе́нье...

2. **You know word** *поэ́тому...* (**therefore**):

   Я хочу́ рабо́тать в Росси́и, **поэ́тому** изуча́ю ру́сский язы́к.

3. **You know a group of Russian verbs**: *учи́ть* (**to learn or to teach**), *изуча́ть* (**to study** *What?*) (**any subject**), *учи́ться* **to study** *Where?* (**at...**) **and** *занима́ться* (**to study yourself, for your fun or pleasure**):

   Мой сын **у́чится** в шко́ле. Сейча́с ве́чер, сын **занима́ется** до́ма – он **у́чит** физи́ческие фо́рмулы, потому́ что он хо́чет **изуча́ть** фи́зику в университе́те.

4. **You know word** *э́тот* (*э́та, э́то, э́ти*) (**this one**) **and** *тот* (*та, то, те*) (**that one**) **and remember that they have the same Case endings as ajectives, exept Nomin, and Ass. case**:

   Да́йте мне, пожа́луйста, **э́тот** журна́л, **э́ту** газе́ту и **э́ти** кни́ги...

5. **You've got a new question for Prepositional case in Russian**: *О чём?* (**what about?**), *О ком?* (**whom about?**):

   Я ча́сто ду́маю **о до́ме, о бра́те** и **сестре́, о на́ших роди́телях...**

6. **You know Ordinal numbers**: *пе́рвый, второй...*и т.д. (**first, second...etc**.):

   Я в Москве́ **пе́рвый** раз и сейча́с купи́л мою́ **пе́рвую** ру́сскую кни́гу...

- **Скажи́те, пожа́луйста.**

1. Вы сейча́с у́читесь и́ли рабо́таете?
2. Почему́ вы изуча́ете ру́сский язы́к?
3. Где вы его́ изуча́ете?
4. Вы мно́го занима́етесь?
5. Как вы ду́маете, э́тот язы́к краси́вый?
6. О чём вы лю́бите чита́ть?
7. О ком вы ча́сто ду́маете?

Now, let's try to read a new text and then to use it as a model for your story about yourself.

Но́вые слова́ и выраже́ния
New words and expressions

расска́зывать [rasskázyvat'i] – **рассказа́ть** *что?, о ком?, о чём?, кому?*	to tell the story...whom about? what about? – to whom?
о себе́ [asiebié]	about myself (yourself...etc)
говори́ть	to tell, to speak
сказа́ть *что?, о ком?, о чём?, кому?*	to say
роди́ться [raditsa]	to be born
вы́расти [výrasti] – вы́рос [výras], вы́росла, вы́росли	to be grown, Past:
столи́ца [stalítsa]	capital
предме́т [predmét]	subject
бо́льше всего́ [ból'she fsivó]	most of all
МГУ – Моско́вский госуда́рственный университе́т и́мени Ломоно́сова	MGU – Moscow State Lomonosov University

прекра́сный [prekrásnyĭ]	beautiful
познако́миться [paznakómitsa]	to make acquaintance with...
бу́дущий [búdushchiy]	future
жена́ и му́ж [zhyná i mush]	wife and husband
ско́ро [skóra]	soon
ждать ребёнка [zhdat' riebiónka]	to wait a baby (to be pregnant)
окно́ [aknó]	window
люби́мый [liubimyiĭ]	favourite
Споко́йной но́чи! [spakóynay nóche]	Goodnight!

Немно́го о себе́

Я **расскажу́** вам о **себе́**.

Меня́ зову́т Влади́мир. Я **ро́дился, вы́рос** и жи́ву в Москве́. Вы, коне́чно, зна́ете, что Москва́ – **столи́ца** Росси́и. Это ста́рый, о́чень большо́й и, я ду́маю, краси́вый го́род. Здесь я учи́лся в шко́ле, пото́м в университе́те.

В шко́ле я изуча́л ра́зные **предме́ты**: фи́зику и матема́тику, литерату́ру и исто́рию, биоло́гию и хи́мию, ру́сский и англи́йский язы́к. Но **бо́льше всего́** я люби́л матема́тику и компью́теры, поэ́тому я хоте́л учи́ться в университе́те.

В **МГУ** я учи́лся 5 лет. Я хорошо́ по́мню (remember) и люблю́ э́то вре́мя. Днём я у́чился – слу́шал ле́кции, занима́лся в библиоте́ке, а ве́чером я люби́л ходи́ть по у́лицам Москвы́, смотре́ть, как живёт э́тот ста́рый **прекра́сный** го́род.

В Москве́ о́чень мно́го люде́й – почти́ 10 миллио́нов челове́к. И ка́ждый день э́ти лю́ди и́дут, е́дут на рабо́ту и в шко́лу, в магази́н и в библиоте́ку, в теа́тр и́ли на конце́рт, в кино́ и́ли в клуб. Все они́ спеша́т, потому́ что им на́до мно́го сде́лать.

Вечером я часто ходил в студенческий клуб, потому что там можно было недорого поужинать, поговорить, посмотреть видео... В клубе я **познакомился** с моей **будущей женой** – Лёной. Она тоже училась в университете.

Сейчас мне 30 лет. Я работаю в большой фирме, у меня есть семья, интересная работа, деньги. Наш сын ещё маленький – ему только 3 года. Мы думаем, что ему очень нужна сестра, поэтому у нас **скоро** будет и дочь. Моя жена сейчас не работает, потому что она **ждёт ребёнка**. Мы живём в центре Москвы, в большом красивом доме, на десятом этаже. Часто вечером я, жена и наш маленький сын смотрим в **окно** на наш **любимый родной** город, и я рассказываю сыну о Москве, об университете, о её музеях и театрах. А потом мы говорим: «**Спокойной ночи**, Москва!»

Завтра будет **новый** день, и мой дети тоже будут любить Москву, как и я.

А сейчас вы расскажите, пожалуйста, о себе:

Как вас зовут? Сколько вам лет? Где вы живёте, работаете или учитесь?

Какие предметы вы изучали в школе (в университете, в колледже...)?

Вы любите ваш родной город? Что вы можете рассказать о нём? Он большой или маленький, старый или не очень, красивый или нет?

У вас есть семья? Расскажите о ней. У вас есть муж (жена), дети? Сколько им лет?

У вас есть родители? Сколько им лет? Где они живут и работают?

Что вы обычно делаете вечером, в свободное время?

Ask some questions to your frend about his (her) age, life, family, home city...etc

НО́ВАЯ ГРАММА́ТИКА

It is the last case forms for studying. Of course, in this book we don't give you all the situations in which we use every case – it is too much!

But later, step by step, you will get more and more knowledge about the most difficult but beautiful language.

ТВОРИ́ТЕЛЬНЫЙ ПАДЕ́Ж
INSTRUMENTAL CASE – (ВМЕ́СТЕ) *с кем?, с чем?*
(TOGETHER) WITH ...

	Singular			Plural
	masc.	neut.	fem.	
Noun *кем?* *чем?*	-ом, -ем студе́нтом музе́ем	-ом, -ем окно́м мо́рем	-ой, -ей, -ью студе́нткой Росси́ей до́черью	-ами, -ями студе́нтами о́кнами дочеря́ми
Pronoun *кем?* *чем?*	мной, тобой (н)им	им	мной, тобой (н)ей (ею)	на́ми, ва́ми (н)и́ми
Poss. Pron.	чьим? мои́м, твои́м на́шим, ва́шим его		чьей? мое́й, твое́й на́шей, ва́шей её	чьи́ми? мои́ми, тво́ими на́шими, ва́шими их
Adjective	*каким?* -ым, -им больши́м но́вым хоро́шим		*какой?* -ой, -ей большо́й но́вой хоро́шей	*какими?* -ыми, -ими больши́ми но́выми хоро́шими

Я занима́юсь в библиоте́ке **вме́сте** с на́шим но́вым студе́нтом, **с** на́шей но́вой студе́нткой, **с** на́шими но́выми студе́нтами.

Я люблю́ ко́фе **с** молоко́м.

When do we use Instrumental Case?

1. If we need any action _together with_ smb. or smth. Then Russian has special word _вме́сте_ (together) and preposition _с_ (with), and we can use both of them or only preposition _с_ :

Я был в теа́тре (**вме́сте**) **с** мои́м мла́дшим **бра́том** и мое́й ста́ршей сестро́й.

2. To make the acquaintance (of) – _познако́миться_ с... [paznakómitsa]:

Я хочу́ **познако́миться с ва́ми.**

To meet with smb. – _встре́титься_ с... [fstrétitsa]:

Где мы с ва́ми **встре́тимся?**

3. Когда́? When?

у́тром	днём	ве́чером	но́чью
in the morning	in the afternoon	in the evening	at night
весно́й	**ле́том**	**о́сенью**	**зимо́й**
in spring	in summer	in autumn	in winter

4. Constructions with verb _to be_ (in the infinitive, past or future tense):

Я хочу́ **быть** инжене́ром. Он **был** дире́ктором. Она́ **бу́дет** хоро́шей студе́нткой.

 Диало́ги

1. – А́нна, с кем ты была́ в кино́?
– С Ви́ктором.

2. – Ви́ктор, вме́сте с кем ты у́чишься?
– Я учу́сь вме́сте с А́нной.

3. – Анто́н, ты живёшь вме́сте с роди́телями?
– Нет, я не живу́ сейча́с с ни́ми. Я живу́ оди́н.

4. – С кем вы познако́мились в клу́бе?
– С америка́нскими студе́нтами.

5. – Я хочу́ познако́миться с ва́ми. Меня́ зову́т Ива́н. А вас?
– Меня́ зову́т Ма́ша. О́чень прия́тно!

6. – Ма́ша, мой брат был в Аме́рике. Хо́чешь познако́миться и поговори́ть с ним?
– С удово́льствием. Где он?

– Вот он идёт... Ива́н, иди́ сюда́! Познако́мьтесь. Э́то мой брат Ива́н.

– А мы уже́ знако́мы! Мы то́лько что познако́мились с Ма́шей. Ма́ша, мы с сестро́й идём в кафе́. Хоти́те с на́ми? Там я бу́ду расска́зывать сестре́ об Аме́рике.

– Да, я с удово́льствием послу́шаю ва́ши расска́зы.

● **Скажи́те, пожа́луйста.**

1. С кем вы хо́дите в кино́, теа́тр, в рестора́н?

2. Когда́ вы смо́трите телеви́зор – у́тром и́ли ве́чером?

3. Когда́ вы хоти́те пое́хать в Росси́ю – зимо́й и́ли ле́том?

4. Когда́ в Росси́и о́чень хо́лодно?

5. Когда́ во Флори́де тепло́?

6. С кем вы встре́титесь сего́дня у́тром?

7. Где вы познако́мились с ва́шим дру́гом (с ва́шей подру́гой)?

ДА́ТЫ
DATES

– Како́е сего́дня число́? [kakóye sievódnia chisló?]	– What is the date today?
– Сего́дня пе́рвое января́ (пя́тое ма́рта, седьмо́е ма́я). [sievódnia piérvaye yenvariá (piátaye márta, sied'móye máya)]	– Today is the first of January (03.05, 05.07).

The name of the month we put **in Genitive case.**

Когда́?

Пе́рвого января́ (пя́того ма́рта).	On the First of January (03.05). Every word we put in **Genitive case.** No preposition.
В январе́. В ма́рте.	In January, in March...etc. Every word we put in **Prepositional case.** **Preposition "В".**

102

В э́том ме́сяце. В про́шлом ме́сяце.	This month. Last month.
В бу́дущем (= сле́дующем) ме́сяце.	Next month.
	Every word we put in **Prep. c.** **Preposition "В".**
На э́той неде́ле. На про́шлой неде́ле.	This week. Last week.
На бу́дущей (= сле́дующей) неде́ле.	Next week.
	Every word we put in **Prep. c.** **Preposition "На"**
В э́том году́. В про́шлом году́.	This year. Last year.
В бу́дущем (= в сле́дующем) году́.	Next year.
	Every word we put in **Prep. c.** **Preposition "В".**
В ты́сяча девятьсо́т девяно́сто восьмо́м году́.	In 1998...
	Only the last two words we put in **Prepositional case.** **Preposition "В".**
В ма́рте ты́сяча девятьсо́т девяно́сто восьмо́го го́да.	In March of nineteen eighth...
	The name of a month – **Prep.c.**, the last two words are in **Genitive case.** **Preposition "В".**
Пя́того ма́рта ты́сяча девятьсо́т девяно́сто восьмо́го го́да.	05.03.98
	Genitive case without preposition!

ПРА́КТИКА

1. – А́нна, **в како́м ме́сяце** ты родила́сь?
   – **В** ма́рте. А ты, Ви́ктор?
   – Я роди́лся **в** а́вгусте.

2. – Ви́ктор, ты роди́лся **в** ма́е?

– Нет, А́нна, **в** а́вгусте. А моя́ сестра́ родила́сь **в** ма́е.

3. – Когда́ вы роди́лись?

– Два́дцать пе́рвого ма́я ты́сяча девятьсо́т се́мьдесят шесто́го го́да (21.05.76).

4. – **На** про́шлой неде́ле я посмотре́л но́вый фильм. Вы уже́ посмотре́ли его́?

– Нет, я хочу́ пойти́ **на** сле́дующей неде́ле.

5. – Когда́ вы пое́дете в Москву́?

– **В** сле́дующем ме́сяце – **в** октябре́. А вы бы́ли в Москве́?

– Да, **в** про́шлом году́.

6. – **В** про́шлом году́ мой брат учи́лся в шко́ле, а в э́том году́ он уже́ студе́нт университе́та. **В** э́том году́ я ещё студе́нт, а **в** бу́дущем году́ я бу́ду рабо́тать.

– Да, вре́мя идёт бы́стро! Совсе́м неда́вно (recently) вы бы́ли детьми́, а сейча́с вы уже́ молоды́е лю́ди!

● **Скажи́те, пожа́луйста.**

1. Како́е сего́дня число́?

2. Како́е число́ бы́ло вчера́?

3. Како́е число́ бу́дет за́втра?

4. В како́м году́ вы роди́лись?

5. В како́м году́ роди́лись ва́ши роди́тели, бра́тья, сёстры, друзья́?

6. В како́м ме́сяце вы роди́лись?

7. Когда́ вы роди́лись?

8. На про́шлой неде́ле вы бы́ли в кино́?

9. Вы пойдёте в теа́тр на сле́дующей неде́ле и́ли в сле́дующем ме́сяце?

10. Где вы жи́ли в про́шлом году́?

11. В бу́дущем году́ вы бу́дете изуча́ть ру́сский язы́к?

12. Когда́ был ваш пе́рвый уро́к ру́сского языка́?

13. Когда́ бу́дет Но́вый год?

14. В про́шлом ме́сяце бы́ло тепло́ и́ли хо́лодно?

ОБЗО́РНАЯ СТРАНИ́ЦА
REWIEW PAGE

By now you already know the new Russian Case – Instrumental – and when we use it:

1. Any action together with smb. or smth.:

Я был в кино́ (вме́сте) **с** мо́им ста́рым дру́гом.

Я чита́л те́кст **со** словарём (with dictionary).

2. Some verbs need an object in Instr. Case: *познако́миться с ..., встре́титься с ...:*

В Москве́ я **познако́мился** с Ви́ктором и А́нной. Мы **встре́тились** с ни́ми в клу́бе.

3. Когда́? – Зимо́й, весно́й, ле́том, о́сенью, у́тром, днём, ве́чером, но́чью – **these 8 words are used in Instr. Case:**

Зимо́й в Москве́ хо́лодно.

Весно́й я пое́ду в Москву́.

Ле́том я бу́ду ходи́ть в музе́и и теа́тры.

О́сенью он бу́дет учи́ться в ко́лледже.

У́тром сестра́ бу́дет занима́ться в бибилиоте́ке.

Днём они́ бы́ли в па́рке.

Ве́чером я люблю́ смотре́ть телеви́зор.

Она́ ча́сто рабо́тает **но́чью**.

4. I want to be...			
I work as.....	(an engeneer)	Я хочу́ быть Я рабо́таю	*кем?* (инжене́ром)

Мой сын **хо́чет** быть банки́ром, как па́па.

And you touched upon a very complicated block of grammar – a mixture of cases if we want to say dates. It is really difficult! Learn it by heart!

- **Now try to answer next questions:**
1. С кем вы любите ходить в кино или театр?
2. Вы читаете тексты со словарём или без (without) словаря?
3. Когда вы хотите поехать в Петербург – летом или зимой?
4. Вы родились в мае?
5. Вы изучали русский язык в прошлом году?
6. На прошлой неделе вы ходили в музей?
7. Куда вы хотите поехать в будущем году?
8. Где вы были в январе 1999 (тысяча девятьсот девяносто девятого) года?
9. Когда родился русский поэт А.С. Пушкин? (06.06.1799)
10. Какое сегодня число? Какой сегодня день?

* * *

Ну, вот! Сего́дня вы уже́ мо́жете сказа́ть, что немно́го зна́ете ру́сский язы́к и мо́жете говори́ть по-ру́сски...

Ско́лько вре́мени вы изуча́ли э́ту кни́гу – оди́н ме́сяц, два ме́сяца?

Э́то о́чень хорошо́, е́сли вы занима́лись то́лько ме́сяц, потому́ что а́втор хоте́л дать вам ба́зу ру́сского языка́ очень бы́стро.

Но ничего́, е́сли вы учи́лись бо́льше! Ру́сский язы́к о́чень тру́дный, но краси́вый! И мы ду́маем, что е́сли вы бу́дете изуча́ть его́ серьёзно, вы смо́жете не то́лько говори́ть на у́лице и́ли в рестора́не, но и чита́ть прекра́сную ру́сскую литерату́ру по-ру́сски.

Всего́ хоро́шего! До встре́чи в но́вой кни́ге!

Копытина Галина Михайловна

ОЧЕНЬ ПРОСТО!

Русский язык для начинающих

Редактор *Н.М. Подъяпольская*
Редактор английского текста *Е.А. Егорова*
Корректор *В.К. Ячковская*
Оригинал-макет подготовлен *Е.С. Токаревой*

Гигиенический сертификат №77.99.02.953.Д.000603.02.04 от 03.02.2004 г.

Подписано в печать 04.07.2007 г. Формат 60x90/16
Объем 7 п. л. Тираж 1500 экз. Заказ 1380

Издательство ЗАО «Русский язык». Курсы
125047, Москва, 1-я Тверская-Ямская ул., 18
Тел./факс: (495) 251 0845

e-mail: kursy@online.ru

www.rus-lang.ru

Отпечатано в ОАО «Щербинская типография»
117623, Москва, ул. Типографская, 10
Тел. 659-24-27.

ПРИГЛАШЕНИЕ В РОССИЮ
Элементарный практический курс русского языка.
Учебник. Рабочая тетрадь

(4 аудио CD)

Е.Л. Корчагина, Е.М. Степанова

ПРИГЛАШЕНИЕ В РОССИЮ
Базовый курс русского языка.
Учебник. Рабочая тетрадь

(2 аудио CD)

Е.Л. Корчагина

Учебник русского языка **«Приглашение в Россию»** представляет собой серию учебных материалов, цель которых — поэтапное формирование навыков и умений общения в ситуациях повседневной жизни в соответствии с выделяемыми в Европейской шкале уровнями владения иностранными языками (см. «The Common European Framework of Reference for Language and Teaching», 2001).

Серия состоит из 2 учебных комплексов, каждый из которых включает:

1. Книгу для учащегося. 2. Рабочую тетрадь. 3. Аудио-CD.

Учебник адресован взрослым учащимся. Он может быть использован для работы в разной национальной аудитории и в различных формах обучения.

Первая часть серии адресована тем учащимся, которые хотят овладеть русским языком на элементарном уровне общения.

Вторая часть серии адресована тем учащимся, которые хотят овладеть русским языком на базовом уровне общения.

Учебник выполнен в русле ориентированного коммуникативного обучения. Страноведческий материал дается системно, в уроках используются задания, организованные с учетом разнообразных когнитивных стилей учащихся.

Значительное внимание уделяется зрительной и слуховой наглядности в соответствии с современными технологиями обучения.

RUSSIAN GRAMMAR IN USE. Basic Course. 53 models

/ T.M. Doropheyeva, M. N. Lebedeva. — 280 с. (для говорящих на англ. яз.)

Книга предназначена для тех, кто хочет за минимальный срок познакомиться с основами русской грамматики или скорректировать свои знания в объеме элементарного курса. Материал изложен максимально просто по схеме от смысла к форме.

Грамматический минимум включает 53 самые необходимые синтаксические конструкции, знание которых обеспечивает возможность говорить в ситуациях повседневного общения. Каждая модель сопровождается комментарием, схемами, таблицами. Широко представлен иллюстративный материал: тексты, диалоги, упражнения, ситуации.

Задания, грамматический комментарий, примечания даны на английском языке.

РЕКОМЕНДУЕМ

ШКАТУЛКА. КНИГА ДЛЯ ЧТЕНИЯ / *О.Э. Чубарова и др.*

Более ста текстов для начинающих с упражнениями. Книга отличается тематическим и жанровым разнообразием. В ней представлены тексты, написанные специально для этой книги (художественные, страноведческие, публицистические), а также адаптированные газетные и журнальные статьи, сказки разных народов, анекдоты. Лексико-грамматическое наполнение текстов усложняется постепенно в соответствии с материалом учебников начального этапа обучения.

ПО ВОПРОСАМ ПРИОБРЕТЕНИЯ КНИГ ОБРАЩАТЬСЯ ПО АДРЕСУ:

125047, Москва, 1-я Тверская-Ямская ул., д. 18
тел./факс: (7–495) 251 0845

e-mail: kursy@online.ru
www.rus-lang.ru

Для заметок